Ⓢ新潮新書

佐藤智恵 編著
SATO Chie

コロナ後

ハーバード知日派10人が語る未来

931

新潮社

まえがき

新型コロナウイルスの感染拡大がはじまってからまもなく2年が経とうとしています。ウイルスとの闘いは一進一退を繰り返し、いまだ収束の兆しは見えていません。コロナとの共生が日常となる中、「感染の抑制」と「経済成長」をどのように両立させていけばよいのか。日本のみならず、世界中で「コロナ後」に向けた模索が続いています。

２０２０年にパンデミックが起こって以来、日本のメディアでは「ＩＴ技術を感染対策に積極的に活用した国」や「世界最速でワクチン接種を推進した国」など、他国の優れた事例が次々に紹介されてきました。さらには、コロナ禍でアップルやマイクロソフトなど巨大ＩＴ企業が急成長し、記録的な業績を上げていることも報じられています。

それにともない国内で広がっているのが「他国とくらべて日本は……」「アメリカ企業とくらべて日本企業は……」といった悲観論です。日本経済が長期停滞から抜け出せない中、追い打ちをかけるようにコロナショックが起こったことで、多くの日本人が必要以上に自信を失っているように見えます。

筆者はこれまで世界の知性が日本から何を学んでいるのかを取材しつづけてきました。その主な目的は、日本国外の視点から日本の強みを再発見することでした。とりわけ足繁く通ったのがハーバード大学です。現地を取材して何よりも印象的だったのが、ハーバードの教員や学生が日本の良いところを抽出して、そこから意欲的に学ぼうとしていたことです。歴史の授業でも、リーダーシップの授業でも、社会や経済の発展のために貢献した日本人や日本企業が数多くとりあげられ、「日本の事例はどれも独創的で記憶に残る」と評判になっていました。

いま、この国に必要なのは「コロナ後」に向けた明確な指針ではないか。そう考えた筆者は、2021年春から夏にかけてハーバード大学の教授陣に緊急インタビューを敢行することにしました。コロナ禍の日本から何を学ぼうとしているのか。日本はこの危機を反転攻勢の機会にできないか。そして日本がさらに成長するにはどうしたらよいのか。こうした質問を10人の教授に問うことによって、現在の日本の強みと課題を浮き彫りにしたいと思ったのです。

本書に登場するのは、世界最高のリーダー養成機関であるハーバード大学経営大学院とハーバード大学ケネディ行政大学院で日本企業や日本経済について研究してきた、いわば「知日派」の知性たちです。正直言って、取材前は、コロナ禍の日本は課題ばかりが目立ち、それほど注目されていないのではないかと想定していました。ところが実際に話を聞いてみて驚きました。経営大学院では日本に関わる新たな教材が次々に出版されていたからです。

アメリカ・テキサス州のワクチン接種センターを危機から救ったトヨタ自動車、苦境下でも若者が発案した新規事業への投資をやめなかったANA、実はESG投資（環境・社会・企業統治に配慮している企業を重視・選別して投資すること）のパイオニアだった渋沢栄一……。これらの教材を読むと、日本人や日本企業が長年、大切にしてきた美徳や精神が、パンデミック下の世界で再評価されていることがよくわかります。

それに加えて、多くの教授が指摘したのは、このパンデミックが欧米型の金銭至上主義や株主至上主義を見直す機会になっていることです。いま、世界では「パーパス経営」（企業の存在意義を重視した経営）や「ESG経営」などが新たな経営手法として注目されていますが、これらは日本企業の創業者や経営者がずっと前から実践してきたことです。教授らの話を聞いていると、日本企業にとっての課題が、こうしたカタカナやアルファベットで書かれた経営手法を熱心に学ぶことよりもむしろ、本来の創業の精神を取り戻すことであることを実感します。

社会の変化のスピードは加速しており、経営の世界でも次々と新たなキーワードが現れてきています。しかし、どれだけ技術が進化し、どれだけＤＸ（デジタルトランスフォーメーション）やＡＩの導入が進んでも、最も大切にすべきなのは人間性です。

10人の教授が強調しているのは、「コロナ後」の新しい時代に向き合う際の姿勢や思考法であり、それらはいつの時代でも通用する普遍的なものです。

本書が、日本の強みを再認識し、激動の時代を賢く生き抜くための一助となれば幸いです。

２０２１年10月

佐藤智恵

コロナ後　ハーバード知日派10人が語る未来●目次

「破壊的イノベーション」の先にある新理論を提唱
いま変革できない企業は生存できない
2030年の展望 AIがすべてのビジネスの基盤になる
日本企業は自らの「変革の歴史」を再認識せよ

レベッカ・ヘンダーソン

第2章

今こそ公正で持続可能な社会を実現するチャンスだ

コロナ禍で問われる「利益」か「社会貢献」か
ハーバードで人気を集めるサステナビリティの授業
株主価値の最大化は「目的」ではなく「手段」である
政府は民間セクターの成長を阻害する存在なのか
企業の暴走を止められるのは政府である
経営者は創業の精神に立ち返れ
変革は従業員の行動と気づきからはじまる
トヨタはパーパス・ドリブン企業のお手本である

トヨタがアルゼンチンの工場から撤退しなかった理由
パーパスを基軸とした経営が求められる時代に
社会の「おかしさ」に人々が気づきはじめた
（2030年の展望）資本主義のリイマジンが進む

サンドラ・サッチャー

第3章 コロナ後の世界では「信頼」こそがキーワードになる

ハーバードの教員なら東京五輪問題をこう教える
リーダーに必要なのは倫理的視点
菅首相のメッセージに抱いた疑問
非人道的な決断を正当化する「脳」の働き
日本政府が信頼を取り戻すために必要なこと
リクルートに象徴される「信頼回復」の重要性
人々は企業のどこを見て信頼しているのか

ウーバーは信頼を失い失速した
まずは部下との信頼構築を
コロナ禍で部下に問うべき3つの質問
今こそ「三方よし」の価値が増す
社員の健康と安全を重視することが離職を防ぐ
（2030年の展望）公私にわたり「信頼」の重要性が高まる

ジェフリー・ジョーンズ

第4章
渋沢栄一が世界的に評価される理由

渋沢はESG投資のパイオニアだった
政府への失望感が民間への期待を高めた
渋沢ならパンデミックにどう向き合ったか
コロナ禍でハーバードの教材になった渋沢栄一
渋沢がめざしたのは「利益」と「公益」を両立する民間企業
SDGsは矛盾に満ちている

日本政府が再生可能エネルギー促進の壁になった
中国の台頭を加速させたパンデミック
アメリカの分断は解消されない
2030年の展望 世界はリージョナリゼーションへと進む
レジリエンスが不可欠な能力となる
日本には多くの潜在能力が眠っている

リカルド・アウスマン

第5章

技術革新に成功すれば日本経済は大きく飛躍する

コロナの影響はまだ総括できない
闇雲なロックダウンには意味がない
2020年の成功は2021年に持ち越せない
「行動制限」と「ワクチン接種」の併用しかない
2024年までに先進国と発展途上国の格差は広がり続ける
日本は脱炭素時代を生き抜けるか

第4次産業革命に乗り遅れるな
2030年の展望 脱炭素化とタスクのグローバル化が加速する
技術立国日本に必要なのは新たなイノベーション創出モデル

ウィリー・シー

第6章 21世紀のリーダーに不可欠なのは科学技術の知識だ

新型コロナワクチン開発から撤退した米製薬企業メルク
ワクチン開発は1日にしてならず
ハーバードの学生が感動するトヨタの病院改革
テキサスの大規模接種センターを危機から救ったトヨタ
危機下で真価を見せる「地域貢献」の精神
2030年の展望 サプライチェーンの再編が進む
メーカーは価格競争からの脱却を

ラモン・カザダスス＝マサネル

第7章

コロナ禍の東京ディズニーリゾートから世界が学ぶべきこと

リンダ・ヒル

第8章

社内に眠る能力を結集すれば「集合天才」を生み出せる

エイミー・エドモンドソン

第9章

危機下のリーダーに求められる「謙遜の精神」

有事のリーダーに求められる透明性や謙虚さ

政治家としての利益を優先した発信は不信を買う

日本の政治家は「不都合な真実」と「希望」を同時に語るべき

VUCAの時代には「心理的安全性」が重要になる

健全な恐れと不健全な恐れを区別せよ

心理的安全性が企業の業績を左右する

トヨタの強さの背景にも心理的安全性

自社独自の学習文化を見つめ直す

心理的安全性の創出に重要な役割を果たす中間管理職

恐れに満ちた職場が悲惨な結果をもたらす

「賢く働く」ことがコロナ後のスタンダードとなる

2030年の展望 世界の複雑性、不確実性がさらに強まる

【特記事項】

・本書は2021年3～8月、10人の教授にオンラインまたはメールでインタビューした内容をまとめたものです。一部、インタビュー日以外にメールでやりとりした内容も含まれています。
・インタビューの一部は2021年4～9月、ダイヤモンド・オンラインに掲載されたものです。
・すべてのインタビューと日本語訳（日本語翻訳書を除く）は編著者（佐藤智恵）によるものです。
・各教員の著書、教材（ケース）のタイトルは、日本語版が刊行されていないものも日本語に訳しました。原題は巻末の注に記しています。
・著者、故人の敬称は略させていただきました。
・各教員の肩書は2021年10月1日現在のものです。
・インターネット上の参考文献、引用文献の閲覧日は2021年10月1日です。

第1章

日本企業にはAI時代を勝ち抜く独自の方法がある

©Michael Simon

Marco Iansiti

マルコ・イアンシティ

マルコ・イアンシティ　Marco Iansiti

ハーバード大学経営大学院教授。同校デジタルイニシアティブ部門ディレクター。専門はイノベーション、ビジネスエコシステム、デジタルトランスフォーメーション（DX）。MBAプログラムやエグゼクティブプログラムにて「AI時代の戦略」などDXに関わる講座を数多く教える。フェイスブック、アマゾン、マイクロソフトなど多くの大企業が助言を仰ぐDXとAIビジネス研究の第一人者。2020年に出版された近著の“Competing in the Age of AI: Strategy and Leadership When Algorithms and Networks Run the World”（共著、Harvard Business Review Press）はニューヨークタイムズ紙やフォーブス誌など多くのメディアで話題となった。

モデルナはIT企業である

2020年9月、パンデミックの最中にモデルナのワクチン開発の過程を描いた『モデルナ（A）』[*1]という教材（ケース）を緊急出版しました。

モデルナをハーバードの教材にしようと思った理由は2つあります。1つはモデルナがデジタルトランスフォーメーション（DX）をあらゆるビジネスの核としてとらえ、ワクチン、医薬品の開発工程のほぼすべてをデジタル化していること。この会社はまさに代表的な「デジタルネイティブ企業」（IT技術がすでに進化した世界に創業され、デジタル環境が整っていることを当たり前としてとらえる企業）といえます。

モデルナは一般的には「バイオテクノロジー企業」に分類されますが、実態は「ITプラットフォーマー」の様相が強いのです。実際にモデルナの社員が日々行っているのは、複数のシステムを一元的に利用できるシームレスなデジタル環境下で、コードを書き、ソフトウェアを開発することです。

もう1つは、バイオテクノロジーの進化を最大限に生かしていること。モデルナは主にｍＲＮＡ（メッセンジャーＲＮＡ＝細胞の核の中にあるＤＮＡから情報を読み取り、細胞内で様々なたんぱく質を作らせる指令を出す物質）[*2]を人工的に合成することによって、ワクチンや医薬品を開発していますが、これらはバイオテクノロジーやＡＩの技術が進化しなければ実現できなかったものです。こうした理由からモデルナはＡＩ時代を先導する企業の模範事例になると考え、教材にすることにしました。

ワクチン開発はモデルナにとって大きな賭けだった

モデルナについてはＭＢＡ、エグゼクティブ講座ともに様々な授業で教えていますが、最も印象的だったのは２０２０年秋のＡＭＰ（Advanced Management Program＝エグゼクティブ向けの経営者養成プログラム）の授業です。この授業では、ゲストスピーカーとしてモデルナのＣＥＯ（最高経営責任者）、ステファン・バンセル氏を招きました。当時はまだアメリカで新型コロナウイルスワクチンの緊急使用が承認される前でしたが、モデルナへの関心が著しく高まっていた時期にＣＥＯから直に話を聞けたのは、受講者にとっても私にとっても貴重な体験となりました。

授業では新型コロナワクチンの開発プロセスから、バンセル氏のリーダーシップスタイルまで幅広い内容を議論しました。受講者からはバンセル氏に次々に質問が寄せられました。モデルナは何を実現することをめざしているのか。創業目的は何か。組織形態はどうなっているのか。なぜソフトウェア、データアナリティクス、AIをすべてのビジネスの核とすることにしたのか。受講者の中にはバイオテクノロジー企業の出身者やデータサイエンスの専門家もいましたが、モデルナは既存のどの企業とも違った企業だったため、質問が殺到しました。

バンセル氏は業界でも珍しいタイプのリーダーだと思います。彼はもともと大企業の製造部門の出身です。にもかかわらず何もかも最先端をいくバイオベンチャー企業の経営に挑戦しました。既存の企業とは全く違った形態のベンチャー企業であるモデルナのCEOに就任することを決断したのです。これは大きな賭けであったと思います。ビジネスのもとになっている科学技術、ビジネスモデル、オペレーション……すべてにおいて既存の企業とは異なっていたわけですから。

そのエグゼクティブ講座の授業では、もちろんリーダーシップに関する質問も出ました。ある受講者が「2020年1月に新型コロナウイルスの感染が確認されてから難しい決断を迫られる日々が続いたと思います。どんなことを考えながら過ごしていましたか」と質問すると、バンセル氏はこう答えました。

「ワクチン開発に名乗り出たのがCEOとして正しいことだったのか、自問自答する日々だった」

ワクチンの臨床試験段階になると、さらに強い責任感とプレッシャーを感じたそうです。2010年創業のベンチャー企業であるモデルナには、当時、実用化されたワクチンも医薬品もありませんでした。つまり新型コロナウイルスのワクチン開発に乗り出して承認されれば、それがモデルナにとってはじめて市場に出す製品になるのです。さらには経済面からの懸念もありました。モデルナは上場以来、いまだ黒字化を達成していない企業です。ワクチン開発はリスクの高い賭けでした。

モデルナのワクチン開発物語はいわゆるリーダーシップを学ぶための事例としても非常に有意義なものだと思います。

モデルナCEOと日本企業の経営者の類似点

日本の製薬企業はいまだ新型コロナウイルスの国産ワクチンの開発に成功していないと聞きましたが、日本にもバンセル氏に比肩するような経営者はたくさんいると思います。私がここで日本の皆さんにいまいちどお伝えしたいのは、バンセル氏が製造部門の出身であることです。彼はバイオテクノロジー企業の世界では異色の存在なのです。バンセル氏はアメリカとフランスの大学院で化学工学や生体分子工学、ハーバード大学経営大学院で経営学を学んだのち、製薬大手のイーライリリー・アンド・カンパニーに就職します。同社では長く医薬品製造に関わっていました。彼は「オペレーション」（業務の管理・実行）を非常に重視する経営者ですが、彼の考え方の基本は製造部門で培ったものなのです。この点が日本企業の経営者と似ていると思います。

モデルナのオペレーションプロセスの大半は、こうした製造業的な考え方をもとにつくられています。データアナリティクスやＡＩも、迅速なフィードバックループ（フィードバックを繰り返すことで、結果が増幅されていくこと）が形成され、正しく改善されているかどうかを確認するために使われているのです。

多くの日本の経営者は、異なるテクノロジーを結集させ、それらを反映した新しい製品を生み出すことで、会社を成長させてきました。これをＡＩ時代に実践しているのがバンセル氏です。あらゆる面で彼は日本のメーカーの偉大な経営者を彷彿させます。

なぜたった2日でワクチンの設計ができたのか

モデルナが今回のワクチン設計に要したのはわずか2日と伝えられています。[*3] このような短期間での設計が可能になった理由は主に2つあると思います。1つは「mRNAワクチン」の特性です。mRNAワクチンは、ウイルスの表面にあるタンパク質（スパイクタンパク質）のゲノム配列を解析し、そのデータをもとにmRNAを人工的に合成し、脂質でコーティングして、製剤化します。つまり、ウイルスの表面にあるタンパク質の遺伝情報さえ解析できれば、短期間に設計することが可能です。

もう1つはモデルナが2010年の創業以来、一貫して「mRNAワクチン」を開発してきたことです。モデルナにはすでにmRNAワクチンに関する豊富な知識と技術が蓄積され、「mRNAプラットフォーム」もありました。

こうした背景から、新型コロナウイルスの感染が確認されたとき、すぐにウイルスのゲノム配列を解析して、ワクチンの設計にとりかかることができたのです。

伝統的大企業ファイザーのイノベーション

新型コロナウイルスのワクチン開発において、モデルナと同じように重要な役割を果たしたのがファイザーです。モデルナの教材を出版した直後、ファイザーの関係者から「私たちもモデルナと同じくらいの迅速さでワクチンを開発したので、そのこともぜひ学生に伝えてほしい」と要請があったのでファイザーの事例についても教材にすることにしました。この事例は、モデルナとは対照的に、大企業がいかにイノベーションを起こせるかを示すものになるでしょう。

なぜファイザーは迅速にワクチンを開発することができたのか。その理由は主に2つあります。第1に、ファイザーが世界の大手製薬会社の中でも、最も大胆に変革を進めてきたことです。ファイザーはいま全社をあげてビジネスモデル、オペレーションモデルの転換に取り組み、デジタル資産の構築とＤＸを推進しています。その投資額は他の大手製薬会社とは比べ物にならないほどの規模です。このレベルで変革しつづければ、来るＡＩ時代においても同社の競争優位性は極めて高いと見ています。

第2に、ファイザーがmRNAワクチン開発の先駆者であったドイツのベンチャー企業ビオンテックとすでに共同開発契約を結んでいたことです。その主な目的はmRNAの技術をつかってインフルエンザのワクチンを共同開発することでしたが、新型コロナウイルスのワクチン開発においてはこの提携が功を奏しました。新型コロナウイルスの感染が確認されるやいなや、ファイザーはこのビオンテックの技術を生かし、迅速にワクチンを開発することができたのです。

モデルナの事例は新興企業がいかにパンデミック下で活躍したかを示すものですが、ファイザーの事例は大手企業がいかに変革を進め、成功したかを示すものです。現在世界中でこのような大手企業は増えてきていますが、ファイザーのワクチン開発はとても象徴的な事例だと思います。

パンデミックは世界経済のあらゆる分野に二極化をもたらしています。過去1年の業績からも明らかなように、スタートアップ企業と伝統的な大手企業との間だけではなく、大手企業と大手企業との間にも差が広がりつつあります。格差の要因となっているのはDXです。大手企業の中でも、AIドリブン企業（AI主導型企業）[*4]へと変革を進める企業は業績を伸ばし、そうでない企業はますます苦戦を強いられています。

新型コロナウイルスのワクチン開発では、伝統的大企業であるファイザーとスタートアップ企業のモデルナが優位に立ち、他の大手製薬会社は後れをとってしまいましたが、2020年1月の時点で新薬開発のためのデジタルプラットフォームを構築できていたかどうかが、明暗を分けました。いま、同じような現象があらゆる業界で見られます。日本の製薬企業に限らず、他の大手製薬企業がワクチン開発に後れをとってしまった原因は、ワクチンを開発する「ケイパビリティ」（組織能力）がないか、伝統的なワクチン開発手法を使っているか、のどちらかだと思います。ノバルティスは最初から参入していませんし、*5 メルクは自力で開発しようとしましたがうまくいかず、現在はジョンソン・エンド・ジョンソンのワクチン生産を請け負っています。他の製薬会社も新型コロナウイルス感染症の収束に向けて、できることは精一杯やっていると思います。しかし限られた時間内に新しいワクチンを開発するには、そのためのケイパビリティがすでに備わっていることが必要です。ファイザーとモデルナにはそれがあったということです。

米食品医薬品局（FDA）は2021年2月、ジョンソン・エンド・ジョンソンが開発した新型コロナワクチンの緊急使用を許可しましたが、ファイザーとモデルナが優位な立場にあることに変わりはありません。両社のワクチンはすでにアメリカで実用化され、その有効性が証明されているからです。

さらにモデルナはｍＲＮＡワクチンを開発するための「ｍＲＮＡプラットフォーム」をすでに築いているので、どんなウイルスであろうとも、遺伝情報さえ解析できれば迅速にワクチンを設計できます。現在、新型コロナウイルスの変異株が広がっていて、ワクチンの有効性を疑問視する人もいますが、万が一、既存のワクチンが変異株には効かなかったとしても、モデルナはすぐに新しいワクチンを設計することができます。これは大きな強みです。

大企業でも劇的に変わることができる

パンデミックが世界中のあらゆる業種、あらゆる企業のイノベーションやＤＸを加速させているのは事実です。この難局に進んで挑み、チャンスに変えたモデルナやファイザーはその最たる事例でしょう。

新型コロナウイルスのパンデミックは世界中に悲劇をもたらしました。この痛ましい出来事の中での一縷の希望は、平時には思いもしなかったようなイノベーションが次々に生まれていることです。「必要は発明の母」と言われますが、いま、あらゆる業種でイノベーションが加速しています。

また、パンデミックで私たちが何よりも学んだのは「大企業でも短期間に変わることができる」ことです。これまで「長寿企業が新しいことに挑戦するのは難しい」と言われてきましたが、パンデミック下で、歴史ある企業が驚くべき早さでイノベーションや変革を実現している事例をよく目にします。たとえば、1811年創立のマサチューセッツ総合病院ではAIの導入とDXを一気に推進しました。なぜなら感染した患者が病院に押し寄せ、あらゆるプロセスをIT化する必要性に迫られたからです。

多くの伝統的企業がパンデミックに対応する中で変革を加速させています。もちろん日本企業も劇的に変わっていると思います。どこまで変われるのか。その可能性は無限大です。今後の課題はこのレベルの変革スピードをいかに維持できるかでしょう。

日本にもAI時代に成功できるチャンスがある

私がハーバードの教員になったばかりの30年ほど前、最初に研究したのは日本企業の経営手法でした。そのころは誰もが日本の経済成長を称賛していましたが、時代は変わりました。

日本の伝統的な企業の経営者には、まずは「自社は変われない」という偏見を捨ててほしいと思います。「もう自社からは新しいアイデアを生み出せない」と思うこともあるかもしれませんが、そのように追い詰められた状況は逆にイノベーションを起こすチャンスであることが多いのです。

日本には優れたテクノロジーと製造能力がありますから、来るＡＩ時代でも成功できる可能性が高いと思います。製造業だけではありません。ＩＴの分野でも世界に影響を与えるようなイノベーションを起こせると思います。たとえば楽天は様々なビジネスのプラットフォーマーとして成功していますし、ＮＴＴドコモは世界で最初に携帯電話用アプリのプラットフォームを提供した会社です。世界中の人々はアップルが最初だと思っていますが、ＮＴＴドコモが最初なのです。

私は日本経済の未来については楽観的に見ています。過去20年間、シリコンバレーで生まれたイノベーションが世界を制覇するのが常識でした。しかし、現在のようにＤＸが進んだ段階では、世界中の企業にチャンスがあります。私が長年イノベーションを研究する中で学んだのは、組織は変われるし、国も変われるという事実です。日本にはAI時代の世界を先導できる可能性があると思います。

当たり前のように変革を続ける組織であれ

パンデミックは世界経済に甚大な影響を与えています。各国で経済破綻が起こり、悲しくて憂鬱なニュースが駆け巡っています。次々と襲いかかる課題を克服しながら経済を復元させていくには、まだまだ時間がかかると思います。

しかし前向きな兆しも見られます。それは多くの企業で逆境から復元していこうとする動きが見られることです。世界中の経営者がこの難局をチャンスとしてとらえ、イノベーションや変革を主導しています。パンデミックは企業を新たなフェーズへと導きつつあります。コロナ禍では変革しつづけなければ事業を継続できません。たとえばメーカーはサプライチェーンの見直しを迫られましたし、ハーバード大学経営大学院などの教育機関はオンライン授業に移行せざるをえませんでした。いまも刻一刻と変わる状況の中で、すべての組織が変化を続けています。

ここで問題になるのは、パンデミック後もこのレベルのイノベーションを維持できるかどうかです。パンデミック下のいま、あらゆる組織にとてつもない変革能力が身につきつつあります。これを機に、「緊急性がなくとも当たり前のように変革しつづける組織」を築くことができれば、その後の経済的なインパクトは計り知れないでしょう。

ＤＸがデジタル格差をもたらしている

とはいえ、パンデミックが良い影響だけを与えるわけではありません。私が懸念しているのは、デジタル格差の増大です。パンデミック下で加速しているＤＸは、社会に格差と分断をもたらしています。デジタル技術を持てる者（digital haves）と持たざる者（digital have-nots）との間で大きな格差がうまれつつあるのです。このデジタル格差は、企業間でも個人間でも見られます。ＤＸが進んだ企業と進んでいない企業との間で、労働生産性、成長率に大きな差がつきはじめています。パンデミック後の世界経済の大きな課題の一つは、一部の富裕層、巨大企業への富の集中ですが、ＤＸがトップとボトムの差をますます増大させているのです。

中国の金融大手アントグループとアメリカの大銀行バンク・オブ・アメリカを比較してみましょう。アントグループではたった1万7000人の社員で10億人の顧客にサービスを提供していますが、バンク・オブ・アメリカでは17万人もの社員が6600万人の顧客にサービスを提供しています。社員：顧客の比率の違いは、企業の生産性に大きな差をもたらします。伝統的な金融機関は、IT人材の雇用、社員教育、ビジネスモデルの見直し、データアナリティクスやソフトウェアの導入などを急ピッチで進めなければなりません。

デジタル格差は政治から経済まで、全てに関わる根源的な問題ですから、簡単に解決できるような問題ではありません。少なくとも政府は、失業した人々がIT知識や技能を習得できるような再訓練制度にさらに投資をすることが必要となってくるでしょう。それだけではなく、デジタル社会から取り残されてしまった人たちのためにセーフティネットも用意しておかなければなりません。今後、デジタル格差の問題はますます深刻な社会問題になっていくでしょう。

ＤＸにはトップから一般社員まで全員で取り組む

　ではＤＸを組織・企業あるいは国家で進めるにはどうすればいいのでしょうか。

　これは経済全体の根源的な変革ですので、すべての人々が関わることになります。企業も政府もこれまでとは全く違った新しい分野に投資をしていかなければなりません。企業内で推進しなければならないのは、組織全体の再構築です。伝統的な企業からＡＩドリブン企業へと移行していくためには、テクノロジーと組織変革に集中的に投資していく必要があります。

　この大変革で不可欠なのは、強力なトップダウンのリーダーシップです。ＣＥＯや役員が率先して変革を主導しなければ、このような大変革は達成できません。それと同じくらい重要なのが、現場の変革リーダーの存在です。管理職、一般社員にかかわらず、すべての社員を再教育し、能力を身につけてもらい、ボトムアップでも変革を起こせるような環境を整備しなくてはなりません。こうした大規模な移行は難しいことのように見えますが、実際に成功している企業はすでにいくつもありますから、不可能なことではないのです。

「破壊的イノベーション」の先にある新理論を提唱

私と共著者のカリム・ラカーニ教授が提唱しているのは、従来の破壊的イノベーション理論[*6]とは異なる新たなイノベーション理論です。[*7]たとえばソニーのトランジスタラジオに象徴される「破壊的イノベーション」とモデルナのワクチンに象徴される「AＩドリブン企業が起こすイノベーション」には明確な違いがあります。

トランジスタラジオは、設計方法、構造、機能などにおいて、それまでのラジオとは異なる製品ではあるものの、「ラジオ」であることに変わりはありません。トランジスタラジオを製造するために会社の構造そのものや製造工程そのものを変化させる必要はないわけです。研究部門で開発し、製品を生産し、それを市場に出す、というプロセスそのものに変わりはありません。破壊的イノベーションは、あくまでも顧客価値（顧客にとっての価値）を変えるイノベーションであって、会社の組織構造を変えるイノベーションではないのです。

トランジスタラジオなどに象徴される破壊的イノベーションは、開発当初はその価値がわからないものです。ところがいったん市場に出すとどんどん売れ始める。それでようやく、その製品が人々のニーズを価格と機能の面から満たすイノベーションであったことに気づくのです。

ＡＩ時代には「ＡＩドリブン企業」対「伝統的企業」、あるいは「デジタル企業」対「アナログ企業」という対立構造が見られますが、これらは「破壊的なイノベーションの創出に成功した企業」対「成功しなかった企業」といった対立構造とは異なるものです。たとえば「ＡＩドリブン企業」であるウーバー・テクノロジーズも「伝統的企業」であるタクシー会社も、顧客価値を満たしている点では同じです。どちらのサービスをつかっても目的地にたどり着くことが可能です。しかしながら、両者の組織構造、ビジネスモデル、オペレーションモデルは全く違います。伝統的な企業がＡＩドリブン企業に移行するということは、会社をまるごと作り変えることなのです。

いま変革できない企業は生存できない

伝統的な企業が「ＡＩドリブン企業」へ移行する過程において、縦割り組織は弊害になると私は従来から指摘してきました。縦割り組織からの脱却は絶対に必要です。

縦割り組織からの脱却は、日本企業だけの課題ではありません。世界中のほとんどの企業は縦割り組織です。アメリカのハイテク企業でさえ縦割りです。なぜそうなっているかといえば、これまでは「製品」と「顧客」に応じて、組織をつくってきたからです。つまりメーカー的な発想で組織をつくるから縦割りになるのです。

伝統的なメーカーでは、顧客セグメントごと、販売地域ごとに、部門がわかれていますよね。こういう業種の顧客にはこういう製品をつくろう、と発想し、それらを１つのグループや1つの部門でひとくくりにします。製品ごとの部門のほかに、国内、国外地域の拠点も設けて、１つの製品の製造から販売までを担当します。特定の顧客のニーズに応じた製品やサービスを提供しようと思えば、必然的にそのための専門チームが必要となり、組織は縦割りになります。

一方、ソフトウェアを提供している会社では、顧客ごとにソフトウェアを変えていたら大変なことになります。この顧客にはバージョンA、この顧客にはバージョンBなんてことをやっていたら、悲惨な結果になるでしょう。

ビジネスエコシステム（連携する企業群）全体にソフトウェアを提供していたらさらに大変なことになります。それぞれの企業に別々のバージョンを提供して、それぞれアップデートしなければならないなんてありえないでしょう。

ＡＩ時代に必要なのは、伝統的なハードウェア会社のようにではなく、ソフトウェア会社のように考えることです。ＡＩもデータも基本はコードであり、物理的な製品ではありません。ＡＩドリブン企業では、データがバラバラになる事態（フラグメンテーション）を避けなければなりませんし、顧客管理も一元化しなくてはなりません。テクノロジーとデータを核とした組織を実現するには、組織全体の構造改革が必要なのです。

現在、世界中のほとんどの企業は縦割り組織です。しかし少なくとも、データ、知識、資産の一元管理はできるはずです。

幸いなことにこれらの変革を進めるためのテクノロジーはどんどん進化しています。クラウドベースのテクノロジーはその代表的な例です。情報をすべてクラウドに集約すれば、社員はそれをベースにものごとを考えるようになります。部門ごとにばらばらに管理していた従来の方法とは違った考え方ができるようになるのです。

移行の過程で課題となるのは官僚主義です。伝統的な企業では、自部門のデータを他部門にシェアすることを嫌がる傾向があります。縦割り組織において情報はパワーですから、社員はできるだけ情報を部門内にとどめておいて、他部門との取引材料として使おうとします。このような官僚的な社風はしばしば変革の妨げとなります。

しかし現在のような緊急事態下で、官僚的なやりとりをしている余裕などありません。だからこそ変化が加速しているのです。パンデミック後もこの流れがつづくのは間違いありません。いま変革できない企業は、生存できなくなるでしょう。

２０３０年の展望　ＡＩがすべてのビジネスの基盤になる

今後10年間のキーワードとなるのは、ＤＸ、サステナビリティ、ソーシャル・インパクトなどです。２０３０年にはＡＩとプラットフォームがすべてのビジネスの基盤になっているはずです。

パンデミックは世界をよりよい方向に変えるチャンスだと思います。多くの伝統的企業にとっての課題はＤＸです。これを機に、さらにこの分野に資金や人材をつぎこまなくてはなりません。今後、ＡＩドリブン企業とそうでない企業との間の格差は広がり、変革できない企業は存続できなくなるでしょう。コロナ禍でこの傾向はすでに顕著になってきています。たとえば小売業や飲食業では、「つぶれてしまう企業」と「存続／成長している企業」の二極化が進んでいますが、明暗を分けているのはＤＸとＡＩの活用です。デジタル格差は今後も広がっていくはずです。企業は迅速に、全社の構造改革を進めなければなりません。一方、フェイスブック、アマゾン・ドット・コム、ウーバー・テクノロジーズなど、デジタルネイティブ企業にとっての課題は倫理問題です。これらの企業はプライバシー、アルゴリズミック・バイアス、人権に関わる問題に正しく向き合っていません。

伝統的企業が、新興企業が抱える問題を解決し、新たな企業像やビジネスを示すことができたら、大きなビジネスチャンスになります。ＤＸを成功させ、新たな価値基準をつくり、既存のデジタルネイティブ企業と差別化をはかることができたら、逆転するチャンスは十分にあります。それには優れた経営者が不可欠ですし、時間もかかるかもしれませんが、伝統的企業にも十分可能性があることは確かです。

ＡＩの影響力が強大になってくると、悪夢のような現実がもたらされる確率も高まります。伝統的な企業がＤＸを進める過程で何よりも大切なのは人権と倫理を重視することです。デジタルネイティブ企業と同じ轍を踏んではなりません。多くの企業がイノベーションの創出と人権尊重を両立することができれば、未来は明るいと思います。

日本企業は自らの「変革の歴史」を再認識せよ

ＡＩとテクノロジーの進化で、新しいビジネスを創出する機会はますます増大するでしょう。ここで大切なのは、ＡＩビジネスはもはやシリコンバレーの産物ではないということです。世界中の企業にチャンスがあります。中国のＡＩ企業がアメリカ企業を追い越すことだってあるでしょう。

繰り返しになりますが、モデルナのCEO、バンセル氏は製造部門の出身なのです。DXで欠かせないのはオペレーションです。「企業文化は戦略に勝る」とよく言われていますが、私はあえて「オペレーションモデルも戦略に勝る」と言いたい。戦略を正しく実行するには、そのための正しい仕事の手順（オペレーションモデル）を社内に浸透させることが不可欠なのです。この考え方はＡＩ時代にとても重要になってくると思います。オペレーションに強いＡＩドリブン企業が優れたイノベーションを創出していることを、モデルナの事例が示しています。

日本は製造業を中心に成長してきた国です。来るＡＩ時代、日本企業の長い歴史と経験は強みになると思います。時代に応じて、イノベーションを推進するための組織とオペレーションモデルを築いてきた実績があるからです。いくどとなく危機に直面しても、そのたびに時代に応じたビジネスを創造し、顧客との間に信頼関係を築き、新規ビジネスにも対応できるように社員を教育してきました。日本企業には本当の意味での時代に対応する能力があると思います。ＤＸもＡＩの導入も、日本企業にとってはこれらの変革の歴史の延長線上にあるわけですから、想像もできないような変革ではないと思います。

日本企業は自らの変革の歴史を強みとして認識すべきです。世界で何がおこっているのかをつぶさに見て、変革を推進する。10年前に通用した方法はもはや通用しません。いまこそ、自社が過去にどのように時代の変化に対応し、何が自社を成長させてきたのかを再認識するときです。日本企業には優秀な社員や経営者がいます。自社の強みを失うことなく、生かしていけば、ＡＩ時代においてもさらに成長していけると思います。

（２０２１年3月5日インタビュー）

第2章

今こそ公正で持続可能な社会を実現するチャンスだ

©Evgenia Eliseeva

Rebecca M. Henderson

レベッカ・ヘンダーソン

レベッカ・ヘンダーソン　Rebecca M. Henderson

ハーバード大学教授。同大学「ユニバーシティ・プロフェッサー」（教員に授与される最高位の名誉称号）。専門はイノベーション、組織変革、サステナビリティ。ハーバード大学経営大学院では「リイマジニング・キャピタリズム」「リーダーシップと企業の説明責任」などを教える。現在の研究テーマは、公正で持続可能な社会を築くために民間企業がいかに大きな役割を果たせるか。長年、企業の社外取締役をつとめ、エグゼクティブ向けに世界中で講演を行う。コロナ禍で出版された近著の『資本主義の再構築 公正で持続可能な世界をどう実現するか』（日本経済新聞出版）はフィナンシャル・タイムズ紙とマッキンゼー・アンド・カンパニーが選ぶ「2020年ビジネスブック・オブ・ザ・イヤー」にノミネートされるなど大きな話題となった。

コロナ禍で問われる「利益」か「社会貢献」か

現在、私はハーバード大学経営大学院でMBAプログラムの必修授業「リーダーシップと企業の説明責任」を教えています。これまでは資本主義のあり方やサステナビリティについて考える選択授業「リイマジニング・キャピタリズム」（注：公正で持続可能な社会を実現するために、資本主義のあり方を考え直すという意味）を教えていたのですが、学長から「2021年はぜひ必修授業を教えてほしい。コロナ禍のいまだからこそ、全学生に向けて『リイマジニング・キャピタリズム』の基本となる概念を伝えてもらいたい」と依頼されたのです。この必修授業では、新しい事例をとりあげ、コロナ禍のリーダーシップについて議論することが増えています。

最も象徴的なのが、インド企業「メトロポリス・ヘルスケア」の事例です。この会社はインド全土で健康診断や人間ドックサービスを提供している大企業です。2020年春、インドで新型コロナウイルスの感染拡大がはじまるやいなや、インド政府は同社を含む国内の検査機関に「PCR検査を請け負ってほしい」と要請しました。

教材の主人公は、同社マネージング・ディレクターのアミーラ・シャー氏。彼女は政府の要請に応えるべきか、悩みます。というのも、新規ビジネスとして立ち上げるには、あまりにも不確定要素が多かったからです。要請に応じれば、多大なコストがかかるのは明白でした。さらに政府がどれだけ費用を負担してくれるのかも決まっていませんでしたから、事業そのものが赤字になるリスクもありました。新規ビジネスを立ち上げるには社員の協力が不可欠ですが、社員は感染を恐れて、出社したがらない現状もありました。

経済性からみたらとてもリスクが高い。でもこの仕事は確実に社会のために役に立つ。いま、PCR検査ビジネスに参入すべきなのか。あるいはやめるべきか。どのような決断をするのが会社にとって最善なのだろうか。彼女は迷います。

授業では「あなたがこの会社のトップだったらどういう決断をしますか」「政府の要請に応えますか、それとも、リスクが高いから断りますか」「その決断の根拠は何ですか」といったテーマで議論しました。

議論は白熱しました。なぜなら学生の多くはパンデミック下で民間企業の管理職として、社員・契約社員の解雇、ビジネスモデルの転換、サプライチェーンの転換など、難しい問題に直面した経験がある人たちだったからです。一人ひとりが自分の体験をもとに、「自分がこの会社のトップだったらどうするか」を語ってくれたので、とても有意義な議論を展開することができたと思います。この事例で考えなくてはならないのは、「経済的利益か、社会的責任か、どちらか一つを選ばなくてはならないのか」という根本的な問題です。この２つを同時に実現できる方法はないのだろうか。ＰＣＲ検査事業で利益が出なかったら、会社は本当に倒産してしまうのか。

ハーバード大学経営大学院の授業の議論に答えはありません。

しかしリーダーにとって大切なのは、どちらか一つを選択して決断することではないのです。どうしたら両方を実現できるか。それを考えることなのです。

ハーバードで人気を集めるサステナビリティの授業

私がハーバードでサステナビリティについて学ぶ授業を初めて開講したのは今から15年前のことです。当時、この分野を研究している教員は少なく、同僚からは「なぜ、イノベーションの専門家として有名な彼女が、突然、『気候変動』とか『サステナビリティ』とか、ビジネスに関係なさそうなことを研究しはじめたのだろうか」と怪訝な目で見られていたものです。

選択授業「リイマジニング・キャピタリズム」を開講したのは7年前。当初、この授業の受講者は28人しかいませんでした。それがいまでは300人もの学生が受講しています。いまやこの授業はハーバード大学経営大学院史上、最も成功した選択授業の一つとなっているのです。

この7年間で大きく変わったことが2つあります。1つめは、議論の対象が広がったことです。当初はかなりアカデミックな内容でしたが、いまではビジネスのあらゆる分野にサステナビリティが関わっているため、より広範囲な内容を学生と議論しています。

2つめは、「リイマジニング・キャピタリズム」という概念が、ビジネスの本流に関わる問題になってきたことです。持続可能な社会の実現は、もはや企業にとっては片手間に対処するような問題ではなく、企業の存続に関わる問題になってきました。この傾向はコロナ禍でさらに加速しています。パンデミック前、MBAプログラムの学生やエグゼクティブプログラムを受講しているビジネスリーダーが特に関心をもっていたのは気候変動問題や環境問題でした。ここ数年、カリフォルニアやオーストラリアでは大規模な森林火災が起き、日本では集中豪雨による災害が多発し、世界中で洪水や干ばつの被害が相次いでいます。こうした自然災害のニュースを日頃から目にしていたため、学生もこれらの問題については深刻な問題として受け止め、積極的に発言していました。

一方、持続可能な社会を実現するために解決すべき課題の中でも、格差や社会的包摂(社会的弱者を排除せずに包含する考え方)の問題について発言する人はほとんどいませんでした。これらの問題についてはどちらかといえば「もちろん大切なのは理解していますます。でもそれは民間企業の役割ではなく、政府の役割でしょう」というスタンスだったのです。

実際、民間企業の役員や管理職は、長年「格差や社会的包摂の問題は政府が解決するべき問題だ」と思い込んでいました。政治が関わる問題について、民間の立場から考えるのはとても難しいことです。しかし新型コロナウイルスの感染拡大を機に、より多くのビジネスリーダーや学生が「これらの問題もまた気候変動と同じぐらい重要な問題なのだ」ということを実感し、解決に向けて何ができるかを議論しはじめています。これもまたコロナ禍で起きた大きな変化の一つだと思います。

株主価値の最大化は「目的」ではなく「手段」である

ここで注意すべきは、従来の考え方――経営者の役割は株主価値を最大化させること――が間違っているわけではない、ということです。利益を出し、投資家に利益を還元することが経営者の重要な役割であることに変わりはありません。経営者は投資家に利益を還元する法的義務を負っているのですから、適切な利益を創出できなければ当然解雇されるでしょう。

重要なのは、何を目的として設定するかです。株主価値の最大化そのものを目的とするのか。あるいは、もっと大きなことの実現を目的とするのか。

会社が新しい事業をはじめて雇用を創出するのは何のためか。社会全体を豊かにし、格差問題の解決に貢献するためでしょう。すばらしい製品やサービスをつくるのは何のためか。よりよい社会を実現するためではないでしょうか。つまり、利益を出し、株主価値を最大化することは、「目的」ではなく「手段」なのです。

もちろん会社にとって利益を創出し、投資家に利益を還元することは不可欠なことです。しかしそれはあくまで手段であって、目的にはなりえません。「毎日、この会社で働けることを誇りに思います。なぜなら、私は株主をどんどんお金持ちにしているから」という人などいないでしょう。社員が自分の仕事を誇りに思い、やる気がみなぎるのはどんなときでしょうか。「自分は人々の生活をよりよく変えるための製品やサービスを提供している」と実感できるときでしょう。

私はいつも授業で学生に「自分の仕事は社会をこういう風によくすることにつながっている、と考えれば、仕事がもっと面白くなるし、楽しくなりますよ」と伝えていますが、持続可能な社会の実現を目的に掲げることこそが、社員の生産性をあげ、ひいては会社の利益にもつながるのです。

エネルギーの脱炭素化を推進するようなビジネスをつくれば、気候変動問題の解決に貢献できます。そのビジネスを推進するために地方に工場をつくれば、雇用を創出し、さらには格差問題にも貢献できます。会社にとっても社員にとっても「目的」は公正で持続可能な社会の実現であるべきなのです。

企業の目的は、株主価値の最大化ではなく、豊かな社会をつくることである、という考え方はずっと資本主義の根底にあったと思います。経済学者のミルトン・フリードマン[*1]は様々な著書の中で「経営者が株主価値を向上させなくてはならないのは、それが豊かで自由な社会を築くために最も効率的な方法だからだ」と述べています。フリードマンは株主価値の最大化はあくまでも手段であり、目的ではない、と明確に伝えているのです。

政府は民間セクターの成長を阻害する存在なのか

授業のテーマでもある「リイマジニング・キャピタリズム」をタイトルに冠した著書『資本主義の再構築　公正で持続可能な世界をどう実現するか』(Reimagining Capitalism in a World on Fire) を刊行したのは2020年4月。アメリカでも新型コロナウイルスの感染が拡大しつつあった時期です。コロナ禍での出版となったのは偶然でした。しかし、出版後、思った以上に大きな反響がありました。特に注目を集めたのはタイトルです。コロナ禍の世界を予言している、と話題になったのです。読者の中には「なぜ世界がパンデミックで大変な状況になること (world on fire) を予測できたのか」と聞いてくる人もたくさんいました。

しかしタイトルそのものはパンデミック前に考えたものです。格差問題や気候変動問題がますます深刻になり、世界が危機的な状況（world on fire）になりつつあることは明らかでした。もちろん、これほどの危機は想定していませんでしたが、世界が公正で持続可能な世界の実現に向けて、多くの課題を解決していかなければならないことに変わりはありません。

資本主義という経済システムのどこを見直すべきか。私は、資本主義下における自由市場の役割と政府の役割のバランスを見直すことが大切だと考えています。経済思想の中には「自由市場こそが社会課題の解決に役立つシステムであり、政府の介入は不要だ」とする考え方があります。「個人が自由に自己利益を追求しうる自由市場には自己調整機能があり、自動的に最もよい状態を実現するはずだから」というのがその根拠です。

日本の読者の皆さんにとって「市場に政府の介入など不要だ」という考え方は少し馴染みのないものかもしれませんが、世界の大半の国々では「政府の存在こそが問題の根源だ」と主張する人がたくさんいるのです。政府は無用な規制をつくって、民間セクターの邪魔ばかりしていると。アメリカでは、「政府なんてどんどん小さくしてバスタブに沈められるぐらいの大きさにすればよい（drown the government in the bathtub）」と主張する人さえいます。

その一方で、新型コロナウイルスの感染拡大を機に、大きな社会課題の解決には政府の力が必要であることも浮き彫りになってきています。市井の人々の声が反映される強い市民社会、言論の自由、表現の自由が保障されている社会、司法の独立性が担保されている社会、などを実現するには、民間と政府が協力することが必要なのです。自由市場が自動的に実現してくれるものではありません。

たとえば石炭火力発電の1キロワット時あたりの実質のコストは13セントですが、私たちはその40％しか負担していません。[*2] なぜなら、今後石炭火力発電がもたらす健康被害や気候変動がもたらす長期的な被害額が電気代に含まれていないからです。

企業の暴走を止められるのは政府である

自由主義が正しく機能するのは、真に市場が自由で公正なときのみです。結局のところ、市場には監督者が必要なのです。先ほどの電気代の事例でいえば、その差額を規制や課税で補完するのが政府の役割です。また、すべての人々が、人種、性別、生まれた環境にかかわらず、十分な教育や医療サービスを受けられるような経済システムを実現するためにも、政府の力が必要です。さらには民間セクターが自分たちの利益向上のために、勝手なルールをつくらないように監督するのも政府の役割です。

私が「会社の唯一の目的は、株主価値を最大化することだ」という考え方に当惑するのは、どの業種であっても会社の利益を最大化するために最も効果的なのは、政治家に献金し、ルールを変えてもらい、市場を独占することだからです。しかしこれはフリードマンがめざした自由市場ではありません。ただの腐敗です。市場が社会全体の意向を反映し、企業の利益至上主義への暴走をとめるためにも、政府の規制が必要なのです。

もう少しわかりやすく言えば、自由市場というのはサッカーや野球の試合だと思ってください。試合にはルールが必要ですが、それが、富裕層が利益を総取りしてしまう前提になっていたらどうでしょうか。公正な試合などできません。ルールを決めるのは市民の声を正しく反映した政府であるべきです。だからこそ強い政府が必要なのです。

経営者は創業の精神に立ち返れ

企業の経営者には、まず自社のパーパス（目的：何を実現するために存在するのか）を再認識してほしいと思います。歴史を振り返れば、どの企業も「社会に役立つために」創業されているはずです。その精神に立ち返ってほしいのです。

現代の資本主義の問題は、あまりにも短期志向で私益優先であることです。どの国においても短期志向では社会を正しく機能させることができません。企業が短期的利益を向上させることだけに注力し、「自社だけが利益を増やせればそれでいい」と考えれば、社会にとってむしろ有害な存在になるでしょう。

次に企業の経営者には、社員が誇りをもって働けるような会社にするにはどうしたらよいかを考えてほしいと思います。社員がワクワクして働けるような企業をつくることは、雇用を創出し、格差の問題を解決するのにも役立ちます。社員一人ひとりをもっと大切にするにはどうしたらよいか、社員がやりたいことを実現し、創造力を発揮できるような環境をつくるにはどうしたらよいかを真剣に考え、行動してほしいのです。

企業が公正で持続可能な社会の実現に貢献するには、経営者だけではなく、全社員が行動しはじめることが不可欠です。私が推奨しているのは、自分の所属している部門、あるいは、工場で、サステナビリティに貢献するために何ができるだろうかと、いくつか具体的に考えてみることです。たとえば、生産工場で働いているとしたら、まずは廃棄物に着目してみてはいかがでしょうか。廃棄物を減らすことは地球環境だけではなく、会社の利益にもつながります。

廃棄物とは会社あるいは工場がお金を払って購入した原材料の不要な部分です。それ自体は何も価値を生み出さないばかりか、処理するためにさらに多額のコストが必要となるものです。この廃棄物をできるだけゼロに近づけるにはどうしたらよいかを考えるところから始めてみるのです。見直すべきは、生産工程なのか、原材料そのものなのか、あるいは製品そのものの構成なのか。そうすれば、原材料のコスト、処理コストの両方の削減につながります。

農業ビジネスに携わっている人であれば、脱炭素化を推進し、生態系を守るために貢献できることがたくさんあるでしょう。いま、地球の生命多様性は危機にさらされています。動物や昆虫の生体数は急速に減りつつあり、生態系が破壊されつつあります。こうした生命多様性を守るためのビジネスを考えてみてはいかがでしょうか。

メーカーで働いているのであれば、自社の製品の機能や生産工程をあらためて見直し、シンプルな製品を低価格で提供する方法を考えてみてはどうでしょう。そうすれば、発展途上国の人たちの生活向上に役立つばかりか、会社の利益にもつながります。

どの会社、どの業種に所属していても、できることはあります。ハーバード大学経営大学院にサステナビリティに関する教材が３００種類もあるのはそのためです。

変革は従業員の行動と気づきからはじまる

企業変革は経営者がトップダウンで行わなくてはならない、と考えがちですが、ほとんどの変革は現場の社員の行動や気づきからはじまっています。これは私のこれまでの研究からも明らかになっています。一人の社員が新しいアイデアを思いつき、周りの同僚をまきこんで、やがて実現していく。こうした個人、あるいは、小さな部門単位ではじまった企画が、周りの賛同を得てどんどん大きくなり、やがては役員をも説得し、事業として世に出ていくことが多々あるのです。「利益とサステナビリティを両立できる事業」が増えていけば、会社全体が変わっていきます。

資本主義のあるべき姿を再考し、公正で持続可能な社会を実現するためにできることは、誰の目の前にもあるということです。1つの企業、1つの業種だけが主導しても実現できません。私が『資本主義の再構築』を執筆したのは、ビジネスリーダーだけではなく、すべての市民に何ができるかを考えてもらいたかったからです。コロナ禍で誰もが苦しい思いをしています。公正で持続可能な社会を実現するために、いまこそ一人ひとりができることを実践してほしいと願っています。

トヨタはパーパス・ドリブン企業のお手本である

著書の中ではトヨタ自動車をパーパス・ドリブン企業（企業の存在目的＝パーパスが明確に定義されていて、全社員がその目的の実現に向けて行動している企業）の一つとして紹介しました。[*3] 同社を例として、いかにパーパス主導型企業が世界を変えることができるかを示したいと思ったのです。

トヨタは創業時から明確なパーパスを掲げ、世界の中でもパーパス・ドリブン組織を最も長く維持している企業の一つです。トヨタのすべての社員の考え方や行動の基本となっているのがトヨタウェイです。現在、パーパスの重要性が叫ばれ、パーパス主導で経営する企業が増えてきていますが、トヨタはまさにその先駆者といってもいい存在です。さらに驚くべきは企業サイズです。

同書では1790年創業のアメリカの小麦メーカー「キング・アーサー・フラワー(現・キング・アーサー・ベーキング)」の事例も紹介[*4]していますが、この会社は社員300人ほどの会社です。小さな組織ではパーパスを社員全員に浸透させることはそれほど難しくありません。一方トヨタは数十万人の社員を擁する世界有数の大企業です。トヨタは、確固たるパーパスを掲げ、それを実現するために社員を心から信頼し、大切にし、尊厳をもって接し、率先してイノベーションを創出してくれるような環境を提供しています。パーパス・ドリブン企業がいかに世界に大きな影響を与えられるかということをトヨタが示しているのです。

かつてアメリカの自動車メーカーはトヨタ生産方式を徹底的に研究しましたが、その成功要因がパーパスであることを理解するのに長い時間を要しました。「トヨタには何か特別なモノが導入されているに違いない。そのモノさえ購入できれば、我々の企業も成功できる」と思いこみ、一人ひとりの社員の考え方が大きな結果に結びついているなんて、ありえないと考えていたのです。しかしそれは間違いでした。トヨタの成功要因はモノではなく目に見えないもの、パーパスだったのです。社員がパーパスを深く理解し、一貫してパーパスに従って行動すること。これがトヨタの成功を支えてきたのです。

トヨタがアルゼンチンの工場から撤退しなかった理由

ハーバードの必修授業「リーダーシップと企業の説明責任」でもトヨタの事例『トヨタとアルゼンチンの労働組合』*5を教えています。パンデミック下で教えるのにふさわしい教材だと思ったからです。

取り上げた事例の舞台は、２０１１年当時のアルゼンチントヨタ（ＴＡＳＡ）のサラテ工場です。主人公はＴＡＳＡ社長のダニエル・エレーロ氏。工場は長年、労使問題を抱えていました。組合とマネジメントが激しく対立し、生産性は下がるばかり。社長はこの工場を閉鎖し、撤退すべきかどうかを悩んでいました。中南米市場でトヨタ車を販売することだけを考えれば、タイから輸入したほうが安くすむ、これほどの苦労をしてアルゼンチンで生産する価値があるのか、と。どうみても工場閉鎖が合理的な決断でした。

ところがトヨタはサラテ工場から撤退しませんでした。それどころか逆に生産能力を「増強」することを決断したのです。さらに従業員と対立するのではなく、従業員とともに学ぶ道を選択しました。現場で働いている従業員を日本に派遣し、徹底的にトヨタ生産方式やトヨタの考え方を学んでもらいました。

従業員にトヨタウェイが浸透するまでには、相応の時間がかかりました。サラテ工場が完全に再生するまで実に7年の月日を要したそうです。7年ですよ。このような企業がどこにあるでしょうか。トヨタは並外れて優れたパーパス・ドリブン企業であることがこの事例からもわかるでしょう。

確固たるパーパスをもち、職位にかかわらずすべての社員を大切にし、工場や拠点のある地域社会に長期的に貢献する。この事例はコロナ禍で学ぶ学生にとって強いメッセージを伝える事例になったと思います。だからこそ、必修授業で全員に学んでもらったのです。

なぜトヨタは多額のコストと時間がかかることがわかっていながら、あえて再生の道を選んだのでしょうか。それは、トヨタのマネジメントには「従業員にトヨタウェイを理解してもらえば必ず再生できるはずだ」という確信があったからでしょう。またトヨタのマネジメントは「一度コミュニティに関わった以上、そのコミュニティの人たちを幸せにする責任がある」と考えたのだと思います。

確かに7年間はとてつもなく長い期間ですが、それだけの価値は十分にありました。サラテ工場の従業員にトヨタウェイが浸透すればするほど、目に見えて結果に結びついていったからです。工場の生産性はみるみる向上し、トヨタにとってこの工場はかけがえのない財産となりました。現在、サラテ工場は南アメリカの自動車生産を担う重要な拠点に成長しています。

この事例は、長期的な視点をもつことの大切さ、社員を信頼することの大切さを示す典型的な事例です。世界中の会社を見渡しても、マネジメントが心から社員を信頼している会社は数少ないのです。社員の力を信じれば驚くべき結果を出してくれることをトヨタの世界的な成功が示しています。

パーパスを基軸とした経営が求められる時代に

このようなトヨタのパーパス経営には、公益（public good）を重んじる日本の伝統的な文化だけではなく、日本が第二次世界大戦の敗戦国であることも影響を与えていると思います。戦後、日本は社会そのものを一から再建しなければなりませんでした。当時の日本の人たちは、国民の力で日本を再建できることを世界に示そうと必死だったと思います。戦後の日本は、国民一丸となって復興しよう、日本の未来のために長期的な視点から投資をしよう、国の成長のためにできることはすべてやろう、という機運に満ちあふれていました。多くの企業もまた国の復興を社是に掲げていました。

現在、中国がめざましい経済成長を遂げていますが、それとくらべても戦後の日本の高度経済成長は驚くべきものです。日本は世界第3位の経済大国であり、とてつもなく成功した社会なのです。この成長を牽引したのが、トヨタをはじめとするパーパス・ドリブン企業です。

今後、パーパスを基軸とした経営はさらに重要になってくるでしょう。新型コロナウイルスの感染拡大は痛ましい出来事です。しかしパンデミックが「何のために私はこの仕事をしているのか」「私の会社は何を実現するために存在しているのか」を問い直す機会になっていることも事実です。

あるCEOは、「新型コロナウイルスの感染拡大がはじまったとき、まさに全社員の命を自分が預かっていることを実感した」と言っていましたが、多くの経営者が社員に対する責務をより強く感じるようになっています。コロナ禍で自らの健康を害してしまう社員もいれば、子どもが新型コロナウイルスにかかってしまったという社員もいる。これらの出来事に直面して、経営者は社員一人ひとりをより思いやるようになっていると思います。パンデミックが、会社全体をより人間的にしているのです。

社会の「おかしさ」に人々が気づきはじめた

世界経済の歴史をふりかえれば、現代ほど経済が急成長した時代はありません。世界は驚くほど豊かになりましたが、そこに驕りが生まれました。「今の経済システムは正しい。なぜなら、この方法で私たちは豊かになったのだから」と思い込み、資本主義のあり方について問い直すことを怠ってきました。ところがコロナ禍のいま、世界中の人々が「何かがおかしい」と感じはじめています。社会的な弱者が必要以上につらい思いをしている。どうみてもこれはおかしなことなのです。

世界の脆弱性が露呈したいま、資本主義のあり方を問い直す機運は明らかに高まっていると感じています。

第1に、気候変動が地球の食物連鎖や農業システムに与える影響に人々がより注意を払うようになりました。

実は新型コロナウイルスの感染拡大がはじまったとき、私は「これで世の中の人たちは気候変動問題のことを考える余裕などなくなってしまうだろう」と思っていました。ところが結果は逆でした。一つのウイルスが世界を変えてしまう現実を目の当たりにし、気候変動はもはや「自分たちとは関係ない問題」ではなくなりました。依然として壮大すぎる問題ではありますが、パンデミック前にくらべれば明らかに自分ごととしてとらえる人が多くなりました。

第2に、パンデミック下で格差の問題や社会的弱者の問題に目を向ける人が増えてきました。配達員の人たちと頻繁に顔を合わせる機会が増える中、「自分は家にいながらリモートで働くことができて、配達員の人たちは感染リスクにさらされながら外で働かなくてはならない。これは社会のあり方として正しいのか」と疑問に思ったり、「現場で働いている人たちは十分なヘルスケアや食事を得られているるだろうか」と自分よりも弱い立場にいる人たちを思いやったりする人たちも出てきているのです。

様々な統計データから、収入が低い人ほど新型コロナウイルスの感染症で死亡する確率が高いことが明らかになっています。その要因は十分な医療を受けられなかったか、罹患したときすでに栄養不足に陥っていたかのどちらかです。こうした格差の現実を目の当たりにし、多くの人々が「これはおかしい」と感じ始めています。

格差の問題が深刻化しているアメリカでは、2021年現在、4200万人が飢餓的状況に陥る恐れがあると言われています。そのうちの1300万人は子どもたちです。[*6]世界で最も豊かだと言われている国で、なぜこれほど多くの子どもが「飢え」に苦しんでいるのか。おかしいと思いませんか。

第3に、人々の間でこれまでの生活スタイルを根本から見直す傾向が強まってきました。以前は頻繁に電車や飛行機にとびのり、会議に出席し、ひたすらスケジュールをこなすといった毎日を繰り返した人たちが、移動ができなくなり、自由な時間が増えると、

「果たして忙しい日々を送ることが幸せなのだろうか」と疑問に思うようになったのです。世界中の人々にとってコロナ禍の中で生きる日々は「自分は将来どんな人生を送っていきたいのか」をじっくり考える機会になっていると思います。もちろん、何とかして経済を元の状態にまで回復させるためにある程度、忙しくなるのは仕方がないとしても、この危機をより幸せな人生を送るための転換期にしてほしいと思います。

2030年の展望　資本主義のリイマジンが進む

おそらく10年後には、気候変動がさらに地球に深刻な被害をもたらしているでしょう。世界各地で洪水や干ばつが多発し、農業従事者は移住を余儀なくされるはずです。

一方で、AIやロボティクスなどのテクノロジーは、はるかに高度化していることが予想されます。新しい技術は私たちの生活や働き方を劇的に変えていくでしょう。10年後の私たちがAIやロボティクスをよりよい社会をつくるために活用できているかどうか、現段階ではわかりません。人間の仕事を補完するために正しく使われれば、とてつもなく大きな恩恵をもたらすでしょうが、使い方を間違えれば失業率の増加や格差の増大につながり、社会問題を引き起こす恐れもあります。もし経営者が、労働コストを削減するためだけにロボットを導入すれば、解雇が進みます。解雇された人々はますます貧しくなり、経営者はますます豊かになり、格差は増大します。

日本企業にはＡＩやロボティクスの分野で世界を先導できる能力があります。生産工程におけるロボットの活用やオートメーション化は、日本の得意分野です。日本はこれらの技術を正しく使えるように、世界を導くことができると思います。

これは予測ではなく願望になりますが、２０３０年には国際協調がさらに高まることを願っています。コロナ禍で私たちはいかに世界が緊密に連携しあっているかを再認識しました。国同士がより一層対話を深め、ともに世界の問題を解決していくことを期待しています。また民間企業は自社のパーパスを認識し、利益の創出と社会課題の解決を両立させ、ＥＳＧ指標による業績評価が世界のスタンダードとなることを願っています。

ビジネスリーダーが２０３０年に向けて念頭においておくべきキーワードとして、ここでも「リイマジン」を挙げておきましょう。資本主義のあり方を再考し、ビジネスのあり方を見直し、さらには働き方や人生についても考え直してみる。これが「リイマジン」の意味するところです。

SDGs《エスディージーズ》（持続可能な開発目標）はもちろん重要な目標ではありますが、世界中の人々が目標の実現に向けて行動しない限り、達成できません。この言葉が日本で広く普及しているのであれば、このように考えてみてはいかがでしょうか。SDGsを達成する唯一の方法は資本主義を「リイマジン」することだと。

日本は他の先進国に比べると、再生可能エネルギーへの投資も少なく、気候変動問題への対策にも後れが見られます。日本がなぜこの分野で後れをとっているのか、不思議でなりません。日本は世界で最もエネルギー効率が高い国の一つであり、1人あたりの消費エネルギーがどの先進国よりも低い国です。

日本には高い技術力、イノベーション力、創造力があります。これらのスキルを気候変動問題の解決に生かすことはできないものでしょうか。日本企業にとっては大きな事業機会になり、国にとっては有力な輸出分野になるはずです。

日本には長期的な視点で物事を考える文化があります。この強みを失ってしまうのは大きな間違いです。気候変動問題に取り組むことは、短期的に見ればコストがかかりすぎるように見えますが、長期的に見れば、新たなビジネスを生み出し、雇用を創出し、経済を成長させることにつながります。つまり未来の産業の礎を築き、今後、何十年と利益をもたらしてくれる資産を築くことになるのです。

再生可能エネルギーへの転換が遅れれば遅れるほど、機会コストがふくらみます。いま石炭火力発電による健康被害を食い止めれば、未来の国民の医療費をへらすことにもつながります。長期的に見れば、いま転換しておくほうが安くすむのです。

目の前の利益を重視したい気持ちもわかりますが、日本政府は大局的な観点からこの問題に取り組み、日本国民の長期的な利益を考えてほしいと願っています。気候変動問題への取り組みは、日本経済を強くし、日本社会を豊かにすることにつながるのです。

数年前、桜の季節に日本を訪れ、2週間ほど滞在しました。ずっと日本の文化をすばらしいと思ってきましたが、実際に訪れてみると本当に美しい国だと思いました。日本は地球が直面する課題の解決を先導できる国です。日本経済、日本社会には多くの強みがあります。その強みを公正で持続可能な世界の実現に生かしてほしいと願っています。

（2021年3月9日インタビュー）

第3章

コロナ後の世界では「信頼」こそがキーワードになる

©Evgenia Eliseeva

Sandra J. Sucher

サンドラ・サッチャー

サンドラ・サッチャー　Sandra J. Sucher

ハーバード大学経営大学院教授。専門はゼネラル・マネジメント。MBAプログラムにて「リーダーシップと企業の説明責任」「モラル・リーダー」、エグゼクティブプログラムにて「テクノロジーとオペレーションマネジメント」等の講座を教える。現在の研究テーマは、企業はいかに信頼を獲得し、失墜させ、再び取り戻すか。大手デパート、大手金融機関などで25年間に渡って要職を務めた後、現職。リーダーシップや倫理的ジレンマを主題とした教材を多数執筆。2018年に出版した教材『グローバル化する日本のドリームマシン：株式会社リクルートホールディングス』は日本でも注目を集めた。近著に“The Power of Trust: How Companies Build It, Lose It, Regain It” (PublicAffairs)。

ハーバードの教員なら東京五輪問題をこう教える

ハーバード大学経営大学院でリーダーシップの授業を教えていることもあり、東京オリンピックの開催問題については、「リーダーの決断と倫理」の観点からずっと注目してきました。もし東京オリンピックの事例をこの授業で取り上げたら、どのような内容になるか。まずそこからお話ししてみましょう。

パンデミックのような有事でのイベント開催を検討する会議では、すべての選択肢を考えることが必要です。5者協議（IOC〈国際オリンピック委員会〉、IPC〈国際パラリンピック委員会〉、東京都、日本政府、大会組織委員会）で考慮すべきは、次の4つの選択肢です。

（1）予定通りの観客数で開催する
（2）観客数に上限を設けて開催する
（3）再延期する
（4）中止する

次に一つ一つの選択肢について、「法律」「経済」「倫理」の3つの側面から分析していきます。法律を遵守しているか、経済合理性はあるか、そして倫理にかなっているか。ハーバード大学経営大学院の授業では、リーダーはこの3つの要素をすべて満たす決断をするべきだと教えています。

結局、5者は（2）を選択し、その後、1都3県については無観客とするなど観客数をさらに厳しく制限する決断をしました。これらの決断は「法律」の観点からは問題ありません。東京が緊急事態宣言下にあっても、オリンピックの開催そのものは、違法行為ではありませんし、5者は契約にのっとって開催を決断しています。

「経済」の観点については、利害関係者ごとに考える必要があります。日本側にとっては、多くの会場で無観客の開催ではほぼリターンはないでしょう。訪日観光客も見込めないため、経済波及効果もありません。あえて利益を見出すならば、賠償金などのリスクを軽減し、経済損失の拡大を防いだぐらいでしょうか。

一方、IOC側にとって、開催は大きな経済的リターンをもたらします。無観客であってもテレビ等で放送されれば、莫大な放映権料が入るからです[*1]。

「倫理」の観点からは大きな疑問が残ります。東京は緊急事態宣言下にありますし、日本全国で感染者数が増え続けています。日本はワクチン接種が遅れており、いまだ国民の20％しか接種を完了していません（7月10日時点）。その中でおよそ1万1000人のアスリート、5万3000人の国外関係者、19万人の国内関係者がこのイベントに参加します。これが果たして人道的な決断かどうかは疑問です。

（2）の選択肢を選んだのは、日本側もIOC側も、「倫理」よりも「経済」を優先して決断したからでしょう。ただ私にとって興味深いのは、両者とも（2）では利益が最大化しないことです。（3）の再延期＋有観客を選んでいれば、チケット収入やグッズ収入、そのほかの収入を満額で得る可能性が高まったはずです。（2）は、「倫理」だけではなく「経済」の観点からみても、非常に悪い決断だと思います。

リーダーに必要なのは倫理的視点

ハーバードの倫理の授業では、法律を遵守し、人々の健康と安全を守り、なおかつ経済的利益を確保するのがリーダーのあるべき姿だと教えています。優れたリーダーはこの3つのすべてを満たす方法を考えるのです。

東京オリンピックの事例でいえば、パンデミックの初期の段階で先を見越して数年の延期を決断するか、あるいは、1年延期を決めたあとでも、もっと早く再延期を決断するのが、優れたリーダーだと思います。そうすれば、経済的な利益も得られたはずですし、国民の安全を脅かすリスクも軽減されたでしょう。あるいは、2021年7月の開催を希望するのであれば、アメリカのように迅速にワクチン接種を進め、国民の大半が接種を終わっているような状況にするでしょう。

パンデミックは「人々の安全と健康が著しく脅かされている状況」ですから、ある意味、戦争状態と同じともいえます。政治学者のマイケル・ウォルツァー[*2]の説いた「正戦論」においては、戦争が正当化されるのは、次の2つの状況だと定義されています。

1つめが戦争の目的が正当であること。防衛のための戦争は正当化されますが、攻撃のための戦争は正当化されません。パンデミック下でオリンピックを開催することは、あえて戦闘をすることですから、「防衛」ではありません。

2つめが戦争の手段が正当であること。正しい戦争では当事者以外を巻き込まないのがルールです。オリンピックの場合、参加する選手、関係者は戦闘員であり、その他の人たちは非戦闘員といえます。正戦論では、非戦闘員を戦争に巻き込まないのがルールですが、パンデミック下でオリンピックを開催すれば、当然、感染者数は増加します。つまり非戦闘員を巻き込んでしまうのです。

この正戦論の観点から見ても、オリンピックの開催は正当化されないことになります。

では、国や企業のリーダーが自身の決断が倫理的かどうかを確認するには具体的にどうすればよいか。それは、「この決断をすれば、私への信頼はより高まるだろうか」と自問してみることです。そうすれば、リーダーとしてのゴールが明確になります。もし人々から信頼されたければ、「政治家としての地位を守るため」「CEOとしての地位を守るため」の決断とは違った結論になるでしょう。

菅首相のメッセージに抱いた疑問

東京オリンピックの開催について菅首相（当時）は7月8日の記者会見で、「新型コロナという大きな困難に直面する今だからこそ、世界が一つになれることを、そして、全人類の努力と英知によって難局を乗り越えていけることを、東京から発信したいと思います*3」とおっしゃいました。このニュースを見て私が疑問に思ったのは次の2点です。

このメッセージは一体誰に向けたものなのだろうか。そして、「難局を乗り越えていけることを東京から発信したい」の主語は誰なのか。

まず誰に向けたメッセージかという点ですが、菅首相は、日本国民よりも世界各国のリーダーに向けてメッセージを発信している印象を受けました。つまり日本国民よりも、世界からどう見られているかを気にしていたように見えたのです。

また主語についてですが、「私たち日本人ならこの難局を乗り越えていける」ことを世界に示したかったのでしょうが、全国民がそう思っているわけではないのは明らかです。つまりこれはあくまでも首相自身の願望です。

アメリカのメディアでは、日本国民の大半がオリンピックの開催に反対していて、その安全性について不安をもっている人たちがたくさんいると伝えられていました。オリンピックの開催で健康と安全が最も脅かされる可能性があるのは日本国民です。その決断をするのになぜ国のリーダーが国民の意見に耳を傾けないのか、不思議でなりません。世界のメディアが報じているように、私たち国外の人間の目から見れば、日本政府が国民の意見を全く無視しているように見えるのです。

どれだけ安全に配慮するといっても、スポーツイベントの開催のために、国民の命を危険にさらす決断をするリーダーは、道徳的リーダーとはいえないと思います。

非人道的な決断を正当化する「脳」の働き

政治家や経営者など、周りの人々を正しく導くべき立場にあるリーダーは、時として非人道的な決断を下してしまいます。

なぜそのようなことをするのか。科学的な学術研究が数多くありますが、ここでは2つご紹介します。一つが正常化バイアス、もう一つがドーパミン効果です。

正常化バイアスとは人間の認知バイアスの一つで、異常事態が起こった際に、それを正常の範囲内としてとらえ、心を平静に保とうとする働きのことです。正常化バイアスには、目の前の脅威を過小評価してしまう効果があります。政治家や経営者が図らずも非人道的な行動をとってしまうのは、現実を正しく認知できず、悪い知らせを報告されても、聞き入れられない心理状態に陥っているからです。

もう一つはドーパミン効果です。様々な調査結果によれば、人間は権力をもつと他の人々のことを思いやる共感力が低下することがわかっています。神経伝達物質の一つであるドーパミンには、報酬と結びついた刺激や行為と関係した神経活動を増強させる働きがあります。権力をもつとドーパミンの分泌が活発になり、周りの人々のことを思いやるよりも、より自分の報酬を増強させようとするのです。こうしたドーパミン効果の仕組みを理解していれば、自らの決断の正当性を冷静に判断できますが、理解していなければ、ひたすら自らの報酬のためだけに行動してしまうのです。

日本政府が信頼を取り戻すために必要なこと

政府や企業が信頼を取り戻すには3つのステップがあります。

(1) 被害を及ぼしたことを認め、率直に謝罪すること
(2) そのような結果を招いてしまったことの要因を説明すること
(3) 再発防止策を具体的に提示すること

もし東京オリンピックの開催が、感染者の増加、死者の増加につながってしまったの

であれば、オリンピック後にデータをすべて公表し、国民に謝罪するべきでしょう。次に安全対策において何が足りなかったかを具体的に説明し、再発防止のためのシステムやプロセスを伝えることです。

そうした悪い結果を招かないことを切に願っていますが、日本政府にはこれを教訓に、国民の声を聞き入れ、国民から信頼を得るような政治をおこなってほしいと思います。

リクルートに象徴される「信頼回復」の重要性

私が「信頼」という概念に興味を持ったきっかけは、2017年、ハーバードの教材を執筆するためにリクルートホールディングス（以下、リクルート）の経営者や関係者を取材したことです。「リクルート事件」の後、同社がいかに信頼を回復したかについて、当事者から具体的な話を聞き、感銘を受けました。

リクルート事件後の約30年間で、同社は売上高2兆円を超えるグローバル企業へと成長しました。一度失ってしまった信頼は回復できない、という通念とは逆の結果を示していることに興味を持ち、「信頼」について深く研究することにしたのです。

リクルートの事例で特に興味深かった点は信頼回復の過程と手法です。1988年にリクルート事件が発覚したとき、当時の社員の中には「リクルートは半年以内につぶれるだろう」と思った人もいたそうです。この逆境に立ち向かったのは主に20代や30代の若手社員でした。名刺を出す際に社名よりも先に名前を言うなど、「個人」としてクライアントとの信頼を再構築していこうと努めたのです。

また同社のウェブサイトには、リクルート事件の反省と、社員、顧客、投資家、政府などからの信頼を取り戻す過程で何を学んだかが掲載されています。

これらを公開していることのメリットは2つあります。1つはリクルートが真実を包み隠さず伝える会社であることが強調され、さらにステークホルダー（利害関係者）からの信頼を得られること。信頼を回復するために最も効果的な方法は真実を述べることです。

もう1つはリクルートが過去の過ちから学び、これからも学び続ける会社であることを示せることです。リクルートの競争優位性は「学習する能力」だと思いますが、真摯な情報開示は、リクルートのコンピタンス（能力）に対する信頼を獲得することにつながっていると思います。

人々は企業のどこを見て信頼しているのか

現在、あらゆる経済活動において、信頼関係がより重要になってきています。パンデミック下で企業は様々な変革を迫られただけではなく、より社会的責任を問われるようになりました。アメリカはいま「大量離職時代」を迎えています。感染リスクのある現場仕事をしている従業員が自分の人生にとって何が最も重要かを真剣に考えた結果、自ら会社を辞めてしまうという現象が次々に起きているのです。こうした中、企業にとってあらゆるステークホルダーとの信頼関係を維持し、構築していくことが、さらに大切になってきています。

著書『パワー・オブ・トラスト――企業はいかに信頼を獲得し、失墜させ、再び取り戻すか』*4の出版後、大企業の経営者、起業家、経営コンサルティング会社の幹部などから反響がありましたが、人々は企業の「何」に対して信頼するのかを構造的に分析した点に特に興味をもってもらったようです。

私たちの研究によれば、人々は次の4つの要素を見て、企業を信頼するかどうかを決めることがわかっています。
（1）コンピタンス（能力）＝自分が期待する製品やサービスを提供しているか
（2）動機＝自社の利益だけではなく、社会全体の利益のために事業を行っているか
（3）手段＝公正な行動をとっているか
（4）影響＝社会によい影響を与えているか
「信頼される企業」になるには、これらの4つをすべて満たすことが大切です。一般的には（1）を満たす企業、つまり期待する製品やサービスを確実に提供する企業が、信頼される企業だと思われていますが、それだけでは不十分なのです。

ウーバーは信頼を失い失速した

たとえばウーバー・テクノロジーズは優れた技術を所有していて、A地点からB地点まで移動するためのサービスを提供する能力があります。つまり（1）のコンピタンスは満たしているわけです。ところがウーバーは創業以来、多くの不祥事を重ね、ドライバーや顧客からの信頼を失いつつあります。

現在、アメリカのライドシェア市場はウーバーとリフトの2社による寡占状態ですが、ウーバーのシェアは68%まで縮小し、かわりに後発のリフトが伸びてきています。リフトはウーバーを反面教師に、信頼と安全を前面に打ち出し、シェアを伸ばしているのです。

同じようにテスラも、（1）のコンピタンスを満たしている企業です。テスラには卓越した電気自動車の製造能力があります。ところが同社の自動運転システムを搭載した車は何度も死亡事故を起こしており、2016年から現在までに少なくとも10人が死亡しています。[*5] 仮に意図的でなかったとしても、自社の製品やサービスが顧客に被害をもたらしたら、それに責任をもってこそ「信頼される企業」ですが、テスラは死亡事故問題に真摯な対応をしていません。同社もまた、消費者からの信頼を失いつつあるのです。

このような例を見れば、信頼は目に見えないもので、財務諸表の項目にもありませんが、企業の業績に大きな影響を与えることがご理解いただけるでしょう。

まず、信頼は企業の売上とコストの双方に影響を与えます。信頼されている企業群の売上高は、信頼されていない企業群の売上高よりも圧倒的に大きいことが、様々な調査から明らかになっています。[*6]

また、社員から信頼されている企業であれば、社員が長く、生産的に働いてくれるため、採用コストなど様々な出費を抑えることができます。その上、不祥事が起こる可能性も低いため、罰金や株主訴訟費用などのコストも少なくてすみます。

さらに株価は、投資家からの信頼の象徴ともいえます。投資家は財務諸表だけではなく、企業のコンピタンス、動機、手段、影響のすべてを判断して投資しているからです。

まずは部下との信頼構築を

組織の生産性を高めるには、リーダーの信頼度も重要です。チームメンバーからリーダーへの信頼は、チームの業績、職場の満足度、会社への貢献度、リーダーの決断に影響を与えます。

たとえば、NCAA（全米大学体育協会）のバスケットチームの戦績とコーチへの信頼度を調査した研究[*7]によれば、選手がコーチを信頼しているチームほど試合に勝つ確率が高く、信頼していないチームは負ける確率が高いという結果が出ています。

またホテルチェーンのホリデイ・インの従業員6500人（北米の76ホテル）を調査

した研究*8によれば、マネジャーへの信頼度が5段階評価で8分の1ポイントあがれば、ホテル全体の利益を2・5％押し上げるという結果も出ています。これは1ホテルあたり年間25万ドルの売上増にあたります。マネジャーへの信頼度が、会社全体の利益に大きな影響を与えていたのです。

企業の管理職にとって必要なのは、新しい顧客との信頼関係を築くよりも前に、社内のチームメンバーと信頼関係を築くことです。私たちの調査によれば、信頼は会社の内部から外へと広がっていくことが明らかになっています。一般的には、信頼とは外部からの評価であり、外部から社内にもたらされるものだと思われがちですが、実はその逆で、内部の信頼関係が外へと伝播する。つまり部下から信頼されていなければ、顧客からも信頼されないのです。

コロナ禍で部下に問うべき3つの質問

では、コロナ禍で管理職が部下と信頼関係を構築するために何をなすべきでしょうか。

私が推奨しているのは、部下と1対1のミーティングをして、次の3つの質問をしてみることです。

（1）新型コロナウイルスの感染拡大がはじまってから、何か困っていることはないか。

（2）いま会社や上司としての私ができることは何か。またパンデミック下で「あのときこういうことをしてほしかった」と思ったことはあったか。

（3）パンデミック対応への変革をスムーズに行えるように会社や私ができることは何か。

多くの企業は社員にオンラインでアンケート調査をしていますが、このようなことはアンケートで把握できるものではありません。部下一人ひとりに直接聞いて、確かめるべきことなのです。

今こそ「三方よし」の価値が増す

日本では、伊藤忠商事がコロナ禍でも堅調な業績をみせていると聞きました。同社の企業理念「三方よし」（売り手によし、買い手によし、世間によし）はまさに信頼される経営の本質ともいえます。同社が１８５８年の創業以来、日本の伝統文化にルーツをもつ理念を守り続けてきたことが、好業績につながったのではないでしょうか。

危機下で「三方よし」のような理念は重要な役割を果たしていると思います。有事において問われるのは、何を優先して行動するかという明確な指針です。指針がなければ社員は「どうしたらよいのだろうか」と途方にくれるばかりですが、「三方よし」があれば迷うことなくステークホルダーとともに問題を解決していくことができます。

緊急事態に直面したときに、伊藤忠商事の社員はまず「三方よし」を実現するにはどうしたらよいかを考えるでしょう。これが柔軟に解決策を考えることにつながるのです。

おそらく伊藤忠商事をはじめ、日本の長寿企業の中には、「三方よし」を実現するための仕組みがあるのではないでしょうか。信頼される企業には、信頼を獲得し、維持するための仕組みが社内にあります。「信頼」を社是に掲げている企業は、有事であっても平時であっても、自社が信頼されるにはいま何をやるべきかを理解しています。それがパンデミック下での強さにつながっているのだと思います。

社員の健康と安全を重視することが離職を防ぐ

いま、あらゆる企業にとって信頼される経営を行うことがより重要になってきたと感じます。企業の社会的責任のあり方が根本から変わり、企業にとって最優先すべきは、社員、顧客、取引先など、ステークホルダーの健康と安全を守ることとなりました。中でも対人接触型ビジネスを営んでいる企業は、現場で働く従業員の健康と安全に対してより一層の配慮を施すことが必要です。

前述の通り、アメリカはいま「大量離職時代」を迎えていて、離職する人の割合は記録的なレベルに達しています。世界31の国と地域の正社員と個人事業主の約3万人を対象にしたマイクロソフトの調査[*9]によれば、41%の人たちが「1年以内に転職するつもりだ」と答えたといいます。また一旦離職した人は、仕事を選んでなかなか就職しません。時給が1ドル高い仕事であっても、感染する確率が高い仕事ならばやりたくない、という人が後をたたないのです。

これらの現象の背景には、もちろん失業手当などで金銭的な余裕が生まれたこともあります。しかしそれ以上に自分の人生にとって最も重要なのは健康と安全だと再認識したことも大きいのです。

このような大量離職時代の中で、企業は人事戦略の見直しを迫られています。こうした中、日本のリクルートの人事制度はさらに注目されていくと思います。リクルートの人事制度は、個人の幸せを追求することを目的にしており、社員が離職することを前提としているからです。

2030年の展望　公私にわたり「信頼」の重要性が高まる

2030年までに取り組むべき課題は気候変動問題と格差問題だと思います。

パンデミック下で露呈したのは、国際社会の脆弱性です。地球規模の問題に直面しても、国際社会は一丸となって問題の解決ができないことが実証されてしまいました。特に深刻なのは、先進国と発展途上国の間で生じているワクチン格差です。インドやインドネシアの惨状を見ればわかるとおり、発展途上国では深刻なワクチン不足が続いていますが、国際社会はいまだ解決策を見いだせていません。

パンデミックが起こる前にももちろん格差の問題はありましたし、それに対して何らかの取り組みをしなくてはならないこともわかっていました。しかしいま、その格差を目の当たりにすると、国際社会の取り組みが不十分だったことを痛感します。

気候変動はすべての人類に等しく影響を与えるように思われていますが、実質的には国によって被害に格差があります。資金がある先進国であれば、自然災害に見まわれても、迅速に復興することができますが、そうでない国では復興がおくれ、より甚大な経済的打撃をうけるのです。

いま、世界はパンデミックに直面していますが、ワクチン接種や経済復興において先進国と発展途上国の間にすでに格差が生じています。しかもウイルスは国境をたやすく越えてしまいます。「自分の国さえワクチン接種を進めればよい」という問題ではありません。他の国でウイルスが蔓延していれば、また自国に入ってくるのです。それを防ぐためには国際社会とは何のためにあるのかを認識し、地球全体の問題として取り組んでいくことが必要です。

このような時代に、リーダーが頭に留めておくべきキーワードはやはり「信頼」になります。

「この行動や決断によって、自分は周りの人からさらに信頼されるだろうか」

これを常に自問することです。信頼を獲得することを目的とすれば、行動も考え方も変わってきます。

私は２０２０年11月に新型コロナウイルスに感染しました。幸い、入院するほど重症化はしませんでしたが、それでも回復するまでの４週間、苦しい日々を過ごしました。この経験で信頼関係を結ぶことがいかに日常生活においても大切かを実感しました。家族を信頼し、医師を信頼し、そして雇用主である大学を信頼する。人の助けなくしては乗り切れなかったと思います。不確実性の高い世界に生きていくには、個人レベルでもますます信頼関係を結ぶことが重要になってくることでしょう。

私は「パンデミック後の世界」は存在しないと予測しています。つまりパンデミックは終焉しない。新型コロナウイルスを克服しても、また別のウイルスが蔓延して、次のパンデミックがやってくる。現在の状況は緊急対応ではなく、この状況が当たり前のように続くと考えておいたほうがよいのです。

日本には卓越した技術、問題解決能力があり、教養ある国民がいます。日本企業には改善とイノベーションの歴史があります。本来であれば、どの国よりも早くワクチン接種を終え、どの国よりも早く国民の安全を守る技術やアイデアを開発することができる国なのです。

また日本には他者を思いやる文化があります。日本企業は社会貢献を優先し、日本の国民もそのような企業の姿勢を尊敬しますが、これは日本特有の現象です。このような文化をもつ日本は、世界第3位の経済大国として、発展途上国、そして、世界全体に貢献できる能力を秘めていると思います。日本の国としての能力をフルに生かせば、日本はウイルスと共存する世界においてもロールモデルになれるはずです。

（2021年7月10日インタビュー）

第4章

渋沢栄一が世界的に評価される理由

©Evgenia Eliseeva

Geoffrey G. Jones

ジェフリー・ジョーンズ

ジェフリー・ジョーンズ　Geoffrey G. Jones

ハーバード大学経営大学院教授。専門は経営史。同校の経営史部門長。MBAプログラムの人気講座「起業家精神とグローバル資本主義」を教える。主な研究テーマはグローバルビジネスの進化、社会・環境への影響、及び責務。金融、商品取引等のサービス分野から化粧品、ファッション等の消費財分野まで幅広く研究し、多くの著書を執筆。アメリカにおける渋沢栄一研究の第一人者。主な著書に『グローバル資本主義の中の渋沢栄一——合本キャピタリズムとモラル』(共著、東洋経済新報社)、“Profits and Sustainability: A History of Green Entrepreneurship” (Oxford University Press)。

渋沢はＥＳＧ投資のパイオニアだった

私が共著者として参加した『グローバル資本主義の中の渋沢栄一』が刊行されたのは、2014年のことでした。最近では、NHK大河ドラマ「青天を衝け」の放送開始を機に、日本でも渋沢への注目がより高まっているとも聞きます。

このように渋沢が再評価されている理由は2つあると思います。1つは、2007〜2009年の世界金融危機を機に、日本でも資本主義のあり方を見直す機運が高まったことです。

この現象は日本だけにとどまりません。世界中の人々が、世界金融危機の後、「株主価値の最大化を追求する資本主義」には重大な欠陥があることを実感し、新たな資本主義を模索するようになりました。渋沢は理想的な経済システムとして「合本《がっぽん》主義」を提唱しましたが、これを広義にとらえれば、「株主価値よりも社会価値の追求をめざす資本主義」と解釈することもできます。ですから、資本主義を見直す流れの中で、日本人が渋沢に目を向けたのは自然なことです。

もう1つはESG投資（環境・社会・企業統治に配慮している企業を重視・選別して投資すること）の増大です。現在、アメリカの全資本の3分の1がESG投資につぎこまれていることからもわかるとおり、ESG投資は世界的なトレンドになっています。[*1] 日本の大企業もこの流れを無視できるはずがありません。いま日本の多くの経営者が渋沢に注目している理由の一つは、渋沢がESG投資のパイオニアだからです。ESG投資はアメリカから輸入されたものではなく、いわば日本の歴史遺産なのです。これについては後述します。

政府への失望感が民間への期待を高めた

日本に関するニュースなどを見ていると、いま、日本国内では政府への失望感が広がっているように感じます。こうした中、日本の人々が「政府よりも民間企業のほうがずっと頼りになるし、よりよいソリューションを提供してくれる」と考え、渋沢の思想に共感するのも無理もありません。渋沢ブームとパンデミックは直接的な相関関係はないと思いますが、日本国民の政府への失望感が渋沢への関心を高めた可能性はあります。

渋沢は、「日本経済を成長させるためには、政府よりも民間の力を高めることが重要だ」と主張した実業家です。明治維新後、民部省（のち大蔵省に吸収）の官僚として活躍していた渋沢は、１８７３年、突如、大蔵省を退職し、民間銀行の創業に携わることを決断します。エリート官僚を辞めて、民間企業に転職するなんて、当時としてはありえない決断でした。彼が中央官庁を辞めたのは、「日本経済は政府の政策投資よりも民間企業の力によって成長させていくべきだ」と信じていたからです。

実はいま、世界中で同じような現象が見られます。多くの国々の政府が新型コロナウイルスの感染症対策に失敗し、国民の間で政府に対する不信感が広がっています。ロックダウンの判断が遅すぎて感染を拡大させてしまった、ワクチンの確保に失敗して、ワクチン接種の実施が大幅に遅れてしまった、など政府に対する不満は枚挙にいとまがありません。

一方で目立つのが民間企業の活躍ぶりです。パンデミック下で人々に直接役立つイノベーションを創出したのは民間企業でした。ファイザーやモデルナのワクチンはその最たる事例です。もちろんワクチン開発には公的資金が注入されていますが、画期的なワクチン開発を可能にしたのは、民間の力だったのです。

渋沢ならパンデミックにどう向き合ったか

「渋沢だったら、どのように新型コロナウイルス問題に対応したと思うか」と最近よく日本の方々から質問されますが、渋沢は根っからの実業家ですから、ビジネスの側面からリーダーシップをとったと思います。渋沢は優れたベンチャーキャピタリストであり、新しい産業や企業を生み出すのを得意としていました。もし渋沢が生きていたら、まずは日本の製薬会社が世界のどこよりも早くワクチンを開発できるよう尽力したのではないでしょうか。

また渋沢は実用的な人ですから、国内での開発が難しいと判断すれば、一目散にアメリカに飛んでいって、ファイザーやモデルナと交渉し、日本国民に必要な分を確保したでしょう。さらに、民間の力でワクチン接種を迅速に進め、東京オリンピック前までには国民の大多数がワクチン接種を終えている状況にまで持っていったのではないでしょうか。現代の日本に渋沢のようなリーダーがいたら、国民の大半が東京オリンピックの中止や延期をもとめるような状況にはならなかったと思います。

コロナ禍でハーバードの教材になった渋沢栄一

2020年8月、パンデミック下で渋沢栄一の起業家精神をテーマとした教材『農家の子から金融家へ：渋沢栄一と近代日本の形成』*2を出版しました。それまでも私はハーバード大学経営大学院の経営史の授業「起業家精神とグローバル資本主義」で、渋沢についても継続的に取り上げてきました。ただし、ここでの渋沢はあくまでも「岩崎弥太郎のライバル」という位置づけであり、主役は岩崎でした。しかしながら、世の中の渋沢への関心が高まっていることもあり、ずっと渋沢についても単独の教材を執筆したいと考えていました。

出版のきっかけとなったのは、MBAプログラムの2人の学生が渋沢に強い興味を持ち、私と一緒に教材を書きたいと申し出てくれたことです。現代の若者が渋沢の思想は自分たちの世代にも必要だと考えていることを知り、教材にすることにしました。

2021年秋に開講される授業では、この新しい教材を使いながら岩崎と渋沢を比較して議論してもらおうと考えています。この2人の起業家を比較することは、資本主義のあり方について深く考えるきっかけとなるからです。

明治時代の日本は、「資本主義の実験場」であったと言っても過言ではありません。岩崎は個人や家族の富（私益）を追求する資本主義をめざしました。一方で渋沢は、資本主義にはもっと大きなことを実現する使命があると考え、公益を追求する資本主義（合本主義）を提唱しました。

これまでも授業で2人の思想を比較したことがありますが、毎回、議論が盛り上がります。たとえば2020年秋の授業では、発展途上国出身の学生が「私の国にいま必要なのは岩崎弥太郎です。国民は貧しく、社会貢献を考えている余裕などありません。岩崎のように貪欲に利益を追求してくれるような起業家が必要です」と発言しました。

資本主義についての議論に加えて、起業家としての生産性（世界に与えた良い影響）、非生産性（悪い影響）についても、議論してもらおうと考えています。まず生産性についてですが、明らかに渋沢は卓越したスキルを持っていました。一体、どうやったら一人の人間が生涯に500社もの企業を創業できるのでしょうか。渋沢は信頼できる人材に仕事をまかせ、創業した会社の細かい部分まで立ち入らなかったのではないかと推察します。そういう意味で、時間の使い方、効率性において優れた経営者であったと思います。また渋沢は学習能力に長けたリーダーでした。彼は生涯をかけて外国から学び続け、その知識を日本経済の基礎づくりに役立てました。

一方、学生には渋沢の非生産的な部分についても考えてほしいと思います。たとえば、教材にも書きましたが、渋沢は日清戦争の際、戦債を発行して費用面から戦争を支援しています。後に、渋沢は日本軍による領土拡大を批判しているものの、これについては、おそらく中国人や韓国人の学生から「政府や軍に対してははっきりとノーと言うのがビジネスリーダーの責務ではないか」といった意見が出ることでしょう。

渋沢がめざしたのは「利益」と「公益」を両立する民間企業

さきほどESG投資の元祖が渋沢であると述べました。このことをもう少し詳しくご説明しましょう。明治時代の日本が興味深いのは、「真っ白な紙」のように何もないところから国を創りあげたところです。経済システムについても、日本にとってどんな資本主義を築いていくのがよいのか、ゼロから考える必要があったのです。

当時若きリーダーであった渋沢はすでに世界中を視察し、様々な形態の資本主義を学んでいました。特に、「福祉資本主義」など、フランスをはじめとするヨーロッパの国々の思想から大きな影響を受けました。19世紀のヨーロッパで生まれた福祉資本主義は、民間企業が社員に社宅、教育、医療、文化活動を提供するなど、労働者の福祉を重視する経済システムです。

渋沢は社会福祉だけではなく、環境保全にも関心を寄せました。都市集中の環境への影響を懸念し、イギリスと同じような、自然豊かな「田園都市」の創設を唱えたのです。この思想のもとに生まれたのが東京の田園調布です。

さて渋沢には先見の明があったのか。渋沢はヨーロッパで学んだことを日本文化と儒教の文脈に照らし合わせて、再解釈したのです。彼が理想としたのは社会に貢献し、労働者の福祉を重視し、環境に配慮する企業を中心とした資本主義です。これはまさに現在のＥＳＧ、あるいはＳＤＧｓ（持続可能な開発目標）と共通する考え方と言えるでしょう。

今から見れば、渋沢は時代のずっと先を読んでいたように見えますが、当時は世界中に彼のように公益を重視した実業家がたくさんいました。

実は株主価値の最大化を追求する資本主義の概念は、比較的最近のもので、１９７０

年代にハーバード大学経営大学院のマイケル・ジェンセン名誉教授をはじめとするアメリカのエコノミストがエージェンシー理論[*3]を提唱したことがはじまりです。

この考え方は、その後1980年代に、ハーバード大学経営大学院をはじめとする教育機関からどんどん広がっていきました。しかしそれ以前には、経済界にも渋沢のような考え方をする経営者が数多く存在していました。

渋沢は持続的に利益を出す企業を数多くつくりあげた有能な実業家でした。企業の財務状況が健全でない限り、企業に存在価値はないことを理解していました。しかし彼のゴールは常にその先にありました。企業にとってお金を稼ぐことは、公益を追求するための重要な手段であり、目的であってはならないと考えていました。利益を出すために、環境を破壊したり、人々から搾取したりするのは、本末転倒だと。だからこそ渋沢は数多くの教育事業や社会事業に注力したのです。

SDGsは矛盾に満ちている

私は長年、環境ビジネスの歴史について研究してきました。近年、特に重視されるようになったＳＤＧｓは国際連合の50年間にわたる環境問題への取り組みの結集です。しかし、ＳＤＧｓには落とし穴がある点も見逃してはならないでしょう。

戦後、国際社会で環境問題への関心が急激に高まったのは１９６０年代です。特に大きな影響を与えたのは１９６２年に出版されたアメリカの生物学者レイチェル・カーソンの著書『沈黙の春』と、１９６８年にアポロ８号に乗った宇宙飛行士が撮影した写真「地球の出」（Earthrise）です。ＤＤＴなど農薬の危険性を訴えた『沈黙の春』はベストセラーになり、「地球の出」は環境運動のアイコンにもなりました。これらは地球環境保護への意識の高まりに影響を与えたと思います。

この流れを受け、１９７０年、アメリカのＧ・ネルソン上院議員が「アースデー」を提唱し、以降、毎年４月22日に世界中で環境イベントが開催されるようになりました。

１９７２年には、世界１１３か国が参加した国連人間環境会議（ストックホルム会議）が開かれました。これは地球環境の破壊の進行への対策を協議した最初の国際会議で、「人間環境宣言」はそれ以降の国連の環境問題への取り組みの基本となりました。

１９８３年には国連に「環境と開発に関する世界委員会」（ブルントラント委員会）が設置され、１９８７年、同委員会が公表した最終報告書で、初めて「持続可能な開発」という概念が提唱されました。１９８７年の報告書はそれまでの方向性を変える重要な転換点になったと思います。それまでの環境保護活動は、経済成長は環境にとって有害であることを前提としており、活動家の間でも「環境保全」と「開発」は相反する概念としてとらえられていました。

ところが、「持続可能な開発」という概念が提唱されたことで、方向性が一気に変わりました。「自然環境を守ることと、経済を成長させることは同時に実現できる」と主張されたことによって、「環境保全」と「開発」は、互いに反するものではなく共存し得るものになりました。

この「持続可能な開発」という概念は企業に歓迎されました。環境保全に考慮してさえいれば、大手を振って「開発」できるからです。

19世紀の環境ビジネスの創業者は、環境保全と経済成長を両立できるなどとは考えていませんでした。[*4] それは１９５０年代から70年代の環境保護活動家も同じです。彼らは、開発と環境保全は相反する関係にあることを前提としていて、消費行動や企業活動を控えることによって、自然を守り、環境破壊を食い止めようと主張していました。

１９８７年のブルントラント委員会の報告書で、「持続可能な開発」を盛り込んだのは、国連の政治的な妥協からです。国連はより多くの発展途上国に環境保護活動に参加してほしいと考えていましたが、発展途上国は「それでは経済成長を遅らせてしまう」と参加には消極的な姿勢を見せていました。発展途上国にとっては貧困の解消のほうが喫緊の課題であり、環境問題は豊かな先進国が解決すべき問題だと考えていました。

しかし私は1987年以降、国連が「持続可能な開発」という名のもとに議論のすりかえをしたのは大きな間違いだと思います。なぜならこれでは本来の自然破壊を食い止めるという目的が霞んでしまうからです。

そもそも「環境保全」と「開発」は相容れない概念です。たとえばSDGsの17の目標は環境・経済・社会の諸課題を統合的に解決することをめざしていますが、よく見てみると矛盾だらけです。たとえば「気候変動問題を解決しつつ、経済成長を実現する」。開発こそが気候変動の要因なのに、この2つを同時にめざすことなどできません。

私が懸念しているのは、SDGsがこうした矛盾について一切言及していないことです。本当に地球を守りたいのであれば、私たちの消費行動、物質主義、経済成長の目的そのものをすべて見直さなくてはならないのです。

過去50年にわたって国際社会が環境保護問題に取り組んできたにもかかわらず、地球環境は悪くなるばかりです。これまでの政策に効果がなかったのは明らかです。国際社会は本質論に立ち返るべきだと思います。

日本政府が再生可能エネルギー促進の壁になった

私にとってとても不思議なのは、日本がなぜ気候変動問題への取り組みにおいてこれほど後れをとっているのか、という点です。何百年も昔から、日本には「持続可能性」を重視する伝統文化があり、日本は資源を効率的に活用する国として、世界のロールモデルになってきました。

私自身もずっと疑問に思っていたので、一度、日本を代表する環境起業家である稲盛和夫氏（京セラ創業者）に「なぜ日本は環境問題の取り組みにおいて後れをとってしまったのか」と質問したことがあります。その際、稲盛氏はこう分析していました。

「第二次世界大戦後の日本は復興や経済成長ばかりに注力し、それまで大切にしてきた伝統的な美徳を失ってしまったからだ」――政府も国民も、経済成長こそが最も重要である、と考えるようになり、公益に目を向けなくなってしまったのだと。京セラは19

70年代に太陽光エネルギーの技術開発に成功しましたが、できる限り政府と関わらないように事業を進めようとしたそうです。既得権益にがんじがらめになっている政府と関わってもプラスにはならないと考えたからです。

私は1980年代に風力発電の技術の開発に成功した三菱重工業の幹部にもインタビューしたことがありますが、ここでもネックとなったのは既得権益と政府だと聞きました。三菱重工業は世界的に見ても風力発電の技術のパイオニアだったのに、その技術を日本国内では生かすことができませんでした。結局、同社はアメリカや他の国々で技術を活用することとなったのです。

日本で再生可能エネルギーへの転換が進まなかったのは、政府においても民間においても既得権益を守ろうとする力があまりにも強すぎたからです。特に電力業界は寡占状態にあるため、既得権者が強い力をもっています。

民間企業にとって技術を開発することはそれほど難しいことではありません。問題はその技術を使ってビジネスを拡大できるかどうかです。エネルギービジネスにおいては、政府の固定価格買取制度や補助金がなければ、規模を拡大していくのが難しいのです。

再生可能エネルギービジネスが進展している国では、政府が積極的に再生可能エネルギーを推奨し、民間企業の事業拡大を支援しています。日本は、風力発電、太陽光発電の技術においては先駆者であったのに、既得権益を守ろうとする人たちや政府のエネルギー政策が原因で、再生可能エネルギー事業を拡大することができなかったのは残念なことです。

いま遅ればせながら、日本政府は「２０３０年度の温室効果ガスの排出量を２０１３年度とくらべて46％減らす」という高い削減目標を掲げています。しかし、この数字を達成できるかどうかは、日本政府がいかに本腰を入れてこの問題に取り組むかにかかっていると思います。もっと具体的に言えば、日本が石炭火力発電所を本気で削減するつもりがあるのかどうかにかかっています。日本政府は電源構成における石炭の割合を、２０１８年度の32％から２０３０年度までに26％に削減すると計画していますが、26％は依然として高い割合です。日本製の石炭火力発電所はハイテクだとはいっても、天然ガスの発電所にくらべればおよそ2倍の温室効果ガスを排出します。

次に「カーボンプライシング」（二酸化炭素を排出した量に応じて、企業や家庭に金銭的なコストを負担してもらう仕組み）を本格的に導入できるかどうか。日本の炭素税（地球温暖化対策税）は二酸化炭素排出量１トンあたり２８９円、約3ドルで、日本は世界で最も炭素税が低い国の一つです。スウェーデンの119ドル、スイスの99ドル、フランスの49ドルとくらべれば、いかに低いかがわかるでしょう。*5

さて政府が本気で再生可能エネルギーへの転換を推進するのであれば、既得権者である大手電力会社に「利益を減らしてでも石炭火力発電を減らせ」「高い炭素税を負担せよ」と言わなくてはなりません。しかし問題は、政府も政治家もこのトレードオフについて語らず、目標だけを掲げていることです。本気で温室効果ガスの排出を削減するのであれば、既存の電力会社の利益は減り、火力発電に関わっている人たちは職を失い、国民の生活にも不便が生じます。

中国の台頭を加速させたパンデミック

経済史の観点からパンデミックの影響を分析するにはまだ早いと思います。ただし確実にいえるのは、パンデミックが世界経済における中国の存在感を増大させたことです。

パンデミック下で中国は感染の抑制に成功しただけではなく、短期間で多くのイノベーションを創出し、驚異的な技術力を世界に見せつけました。まず何よりも中国は2種類の新型コロナウイルスワクチンの開発に成功し、ＷＨＯ（世界保健機関）に緊急使用が承認されました。ＷＨＯが欧米以外で開発された新型コロナワクチンを承認するのは初めてのことです。さらに２０２１年５月には、中国の火星探査機が初めて火星への着陸に成功しました。２０２０年と２０２１年は、中国が、その技術力と危機対応能力を世界に示した象徴的な年になったのです。

一方、中国の地政学上のライバルであるインドは、パンデミックで大きな打撃を受けました。同じくヨーロッパ経済も大きく沈みました。結果的にアメリカと中国が浮上し、現在は二強体制となっていますが、アメリカは大きなリスクを抱えています。それはアメリカの民主主義社会が脆弱であることです。いつ何時、腐敗したポピュリズムに陥るかわからない。そうなれば世界を牽引する経済大国としての地位も危うくなってしまうでしょう。

実は歴史学者にとっては、中国が再び世界経済の中心になっても驚きではありません。世界経済の歴史をふりかえれば、中国は19世紀初頭、世界ナンバーワンの経済大国でした。産業革命後はヨーロッパやアメリカが台頭していくことになりますが、それまでは圧倒的な経済力を保持していたのです。ですから過去数世紀にわたって、欧米に移行した覇権が、また中国に戻ってきつつあると見ることもできる。しかしながら、私にとっても想定外だったのは、中国の技術的な進歩のスピードです。これほどのイノベーション大国になるとは予想だにしていませんでした。

さらに、経済が急速に成長する過程においても、中国共産党が政権を維持し、むしろ一党独裁体制を強めていることにも驚いています。１９９０年代、多くの欧米の有識者は、中産階級の増大、富の増大、インターネットの普及にともない、中国では民主化が進むだろうと予測していました。ところが現実は逆の方向に進みました。

いまパンデミック下で、どの国でも政府の役割が増大しています。国境を封鎖し、ロックダウンを行うのは政府です。世界の人々は国のあり方、経済のあり方について深く洞察するようになり、パンデミック前の世界は間違っていたのではないかと考える人も出てきています。こうした中、中国の台頭は国際社会にとって非常に大きな意味をもつと思います。

アメリカの分断は解消されない

ＩＭＦ（国際通貨基金）は、2021年以後、アメリカ経済は当初想定していたよりも早く復元すると予測していますが[*6]、私は、それ以上の早さで中国が成長していくのではないか、と見ています。

というのも、アメリカは政治的に極めて不安定な状況にあります。トランプ政権の4年間で、アメリカは政治的なカオス状態に陥りました。にもかかわらず、2020年のアメリカ大統領選挙で47％ものアメリカ国民がトランプ氏を支持しました。2021年1月にバイデン政権が誕生しましたが、いつひっくり返ってもおかしくない状況です。

もし2024年の大統領選挙で共和党が勝利し、トランプ氏か、急進的なポピュリストが再び大統領に選出されれば、アメリカは一部のラテンアメリカの国のように腐敗した独裁政権へと突き進んでいくでしょう。そうなればアメリカ経済は衰退の一途をたどり、貧富の格差はますます増大していきます。バイデン政権がこの4年間でいくら頑張っても、結局のところ「一時しのぎ」でしかなくなってしまうのです。

アメリカとは対照的に、中国が今後数年間で政治的なカオス状況に陥る可能性は極めて低いと思います。中国政府が安定しているのは、中国共産党が非常に効率的に実利を生み出す組織だからです。もちろん、中国が深刻な人権問題を抱えていて、一党独裁体制には負の側面もあるのは承知しています。しかしながら、過去20年間の経済成長を見ても、その実効性を認めざるをえません。中国は、短期間のうちに、国民に教育を施し、「脱貧困」を推進し、[*7]多数のハイテク企業を創出しました。目標を迅速に達成する組織としては極めて優れているのです。同規模の人口を抱えるインドの経済成長と比較してみても、その違いがよくわかると思います。

2030年の展望 世界はリージョナリゼーションへと進む

以上のことを踏まえたうえで、2030年の世界について述べてみましょう。といっても予測は不能としか言いようがありません。ですからここでは私が望む世界像をお伝えするにとどめておきましょう。

まず何よりも、これから2030年までの間に大規模な軍事衝突が起きないことを願っています。台湾、中東など、現在緊迫している地域で大規模な戦争が起きれば、世界戦争へと発展する恐れがあります。今後10年間は世界にとって大事な期間です。いま私が歴史家として言えるのは、どの時代においても戦争を回避するには優れたリーダーが必要であるということです。

もし大規模な軍事衝突を回避できれば、世界はグローバリゼーションからリージョナリゼーション（地域化）の時代へと移行していくと思います。近年、政府も企業もグローバリゼーションのリスクを痛感する機会が増えています。政治上も、物流上も、グローバル化は大きなリスクをはらむのです。パンデミック下でその傾向はさらに顕著になったと思います。

リージョナリゼーションが進む世界では、世界の国々は地域ごとにまとまり、いくつかの地域群が力をもってくるでしょう。それにともない、国際機関の影響力も相対的に弱まると思います。貿易について言えば、地域グループ内での貿易が増え、いわゆる国際貿易のようなものは減ってくるでしょう。地域主義が台頭する世界では、地域グループ対地域グループの経済対立が生じてくると予想されます。最も懸念されるのが中国陣営とアメリカ陣営の対立です。

世界の地域化を推し進めている背景には２つの要因があります。

まず１つめは度重なる自然災害によって、多くの企業のバリューチェーン（価値の連鎖＝資材調達→製造→出荷物流→販売→サービスまでの一連の流れ）が破壊されていることです。タイが大洪水に見舞われたとき、日本の自動車メーカーは大打撃を受けました。同じように国外の製造拠点が地震や津波の被害を受けたら、生産が止まってしまうでしょう。こうした状況に直面し、人々はグローバル化することのリスクを痛感しはじめているのです。

もう1つは人々がよりローカルな製品やサービスを好むようになったことです。中国のIT企業の製品はアメリカから締め出されていますし、アメリカ企業は中国で苦労していますが、その主な要因は消費者が「国内製造の製品やサービスのほうが様々な面で信頼できる」と考えていることです。

パンデミック下で露呈したのは国連やWHOをはじめとする国際機関の能力不足です。結果的に、国際機関は頼りにならず、それぞれの国が独自の対策を実施することとなりました。2020年以前から世界はすでに地域主義へとシフトしつつありましたが、パンデミックがこの流れを加速させたのは間違いありません。

レジリエンスが不可欠な能力となる

このような時代に、今後ビジネスリーダーが頭に留めておくべきキーワードは「レジリエンス」です。レジリエンスとは、方向性を変える能力や、環境の変化に柔軟に対応する能力を意味します。今後、世界はあらゆる危機に備えておかなければなりません。政治危機、経済危機、そして今回のパンデミックのような健康危機……。ビジネスにおいても政治においても、リーダーにとってこのような危機に迅速かつ柔軟に対応できる能力を身につけることが不可欠になっていくでしょう。

東京オリンピックの開催問題は、日本政府、東京都、組織委員会のリーダーのレジリエンスの欠如を象徴的に示しています。パンデミックがおこり、人々の健康が脅かされている状況でも、「計画どおりに」開催しようとして、大混乱を引き起こしました。レジリエンスを備えた政府であれば、開催前にほぼ全国民のワクチン接種を終わらせているか、あるいは、IOCと中止・延期を早めに協議するなどしたでしょう。

日本企業にとってもレジリエンスは課題となるでしょう。一般的に日本企業は先例主義なので、突然の変化に迅速に対応することが苦手です。

日本には優れた製薬企業が数多くあるのに、なぜいまだワクチンを開発できていないのか、不思議でなりません。日本市場での経験からワクチン開発はあまりにもリスクが高いと考えたか、あるいは、ただ迅速に行動できなかっただけなのか。理由はわかりませんが、ファイザーやモデルナのような企業は多大なるリスクをとってワクチンを開発しています。日本企業が革新的なワクチンを開発して、それを他の国にも提供したら、どれほどの人々の命が救われるでしょうか。日本のリーダーには「レジリエンス」をキーワードに、リスクを取って、計画を変更する勇気をもってほしいと願います。

日本には多くの潜在能力が眠っている

現代の世界を見渡してみると、多くの国々で民主主義が脅威にさらされていることがわかります。民主主義国だと自任していても、インドやブラジルのように政情が不安定で、本来の民主主義が機能していない国もあります。日本はアジアを代表する民主主義国家です。日本は民主主義国家の成功モデルを世界に示すことができると思います。

人口高齢化問題や環境問題についても、日本は世界に先駆けて解決策を示すことができるでしょう。歴史的に日本はイノベーション大国ですし、これらの問題に対処してきた経験もありますから、革新的なソリューションを提供できる潜在能力は十分にあると思います。

残念に思っているのは、近年、日本が世界のロールモデルとしての役割を果たしていないことです。パンデミック下の世界においても、日本のプレゼンスは低いままです。明治から昭和にかけての日本では、渋沢栄一や岩崎弥太郎などの革新的な起業家が、リスクをとり、難局を乗り越え、新しい産業をもたらしました。日本のビジネスリーダーに申し上げたいのは、皆さんのロールモデルはすでに日本の歴史の中に存在しているということです。

日本には多くの潜在能力が眠っています。優れた企業もたくさんあります。日本が本来の強みを再認識し、再び世界のロールモデルとなることを期待しています。

（２０２１年５月26日インタビュー）

第5章

技術革新に成功すれば日本経済は大きく飛躍する

© 本人提供

Ricardo Hausmann

リカルド・アウスマン

リカルド・アウスマン Ricardo Hausmann

ハーバード大学ケネディ行政大学院教授。ハーバード大学国際開発センター経済成長研究所所長。専門は国際政治経済学。1981年米コーネル大学にて博士号取得後、ベネズエラ高等経営研究所（IESA）教授、ベネズエラ企画調整担当大臣、ベネズエラ中央銀行理事、米州開発銀行チーフエコノミストなど要職を歴任。2000年より現職。主な研究テーマは経済成長とその制約要因、マクロ経済の安定性、国際金融、開発における社会的側面。「成長診断」「経済複雑性指標」の提唱者として世界的に知られている。

コロナの影響はまだ総括できない

新型コロナウイルスの感染拡大の影響を総括するには現在はまだ早すぎるでしょう。いまだパンデミックの最中にあり、いつ終息するかもわからない状況です。半年前に同じ質問をされれば、現在とは別の答えとなったでしょうし、2年後に同じ質問をされても答えは変わってくるでしょう。ですから、ここではあくまでも２０２１年7月現在の状況を前提とした分析をお伝えします。まず直接的な影響についてです。新型コロナウイルスの感染拡大を抑制するための移動制限や対人距離の確保（ソーシャル・ディスタンス）は、各国の経済活動を阻害する直接的な要因となりました。これらの行動制限がもたらしたマイナス影響の度合いは、国や産業によって異なります。

まず国への影響についてですが、産業構成、ロックダウン（都市封鎖）の期間などによって影響度合いは変わってきます。行動制限が長引けば長引くほど、その国の経済は打撃を受けますし、観光業などが主要産業である国々はより大きなダメージを受けています。全体的には、発展途上国のほうが先進国よりも深刻な影響を受けています。

産業への影響については、リモートワークが可能な産業はそれほど大きなマイナス影響を受けておらず、むしろ恩恵を受けている企業もありますが、エンターテインメント、外食、旅行など対人接触型サービスを伴う産業は直接的な打撃を被っています。デルタ株の猛威によって、今後もロックダウンや厳しい移動制限が行われることが想定されていますから、この傾向はしばらく続くでしょう。

次に間接的な影響についてです。パンデミックは世界の国々の輸出収入に間接的な影響を与えています。

パンデミック初期の2020年2月から3月に起こったのが、いわゆるコロナショックです。株価とともに、ベースメタル、原油、天然ガス、農作物などコモディティ（商品）の価格が急落し、これらの品目を輸出している国々の貿易収入は大幅に下落しました。現在、市場はコロナショックからはほぼ回復し、平常に戻っています。コロナショック後、アメリカと中国が急速に経済を回復させていく中で、コモディティ価格が急騰するのではないかと懸念していましたが、そのリスクは今のところ回避されているようです。

また、国をまたぐ移動の制限は、観光国のサービス輸出に大きな打撃を与えています。

世界各国では依然として移動制限が続いており、国際観光収入を激減させている「観光ショック」からはいまだ回復していません。

さらにこの国をまたぐ移動の制限は、観光業だけではなく、その他のビジネスにも間接的な影響を与えています。私たちの研究によれば、人々の物理的な移動は、渡航先国の経済にプラスの影響を与えることが明らかになっています。[*1] 外国からの旅行者や出張者は、目に見えない知識やノウハウを持ち込んでいて、それがその国の生産性の向上、輸出の増加、ＧＤＰの成長に貢献しているのです。Ｚｏｏｍやｓｋｙｐｅでのミーティングは国外出張の代替にはなりません。このまま国外への移動制限がつづけば、世界全体の総生産にマイナスの影響を与える恐れがあります。

闇雲なロックダウンには意味がない

世界の多くの国々では、感染抑制策の一つとしてロックダウンが実施されましたが、その有効性については国によってかなり違いがあります。たとえばチリ、ペルー、コロンビアなどではロックダウンは全くといってよいほど効果がありませんでしたし、ロックダウンを実施したにもかかわらず、感染者数が逆に増えてしまった国もありました。一方、イギリス、フランス、イタリアなどヨーロッパの国々では、ロックダウンが威力を発揮しました。ロックダウン直後、感染者数が劇的に減ったからです。

どのような条件がそろえば、ロックダウンが有効に働くのか。これを解き明かすことが各国にとっての重要課題です。残念ながら私の手元にも決定的な調査結果や研究結果はありません。人々はどこでどのように感染しているのか、それを防ぐにはどうしたらよいのか、なぜこのときのロックダウンは効果があり、このときは効果がなかったのか、といったことを解明する調査や研究に政府はもっとリソースを投入すべきです。

人々はどこで感染するのか。自宅、電車、デパート、学校など、対人距離を十分にとれない場所の可能性が高いと言われています。満員電車に乗れば、感染する確率は高まるでしょうし、密集した売り場で買い物をすれば同じく確率は高まるでしょう。あるいは学校の集会や部活動で感染しているかもしれません。

発展途上国で暮らす貧しい人々は冷蔵庫を持っていません。そのため頻繁に買い物に行かなければならない。こうした生活様式が感染拡大の要因の一つだとも言われています。あらゆる可能性がありますが、どういう形で密集すると感染するのか、どこでどのように感染しているのか、全容はわかっていません。

とはいえ政府や企業の対策の中には、明らかに逆効果をもたらしているような事例もあります。たとえば「高齢者は火曜日と木曜日の9時から10時に買い物をしてください」と買い物日時を指定したために、かえって人々が密集してしまった例や、州政府が失業手当を特定の銀行のデビットカードで給付したために、その銀行のATMに長い行列ができてしまった例[*2]もあります。

パンデミックはいまだ初期段階なのか、半ばぐらいまできたのかわかりませんが、終息まで長い時間がかかるのは確実です。感染拡大の要因は明らかに国によって異なります。その要因を正しく理解し、ロックダウンを実施するにしても、感染抑制効果の高い方法で行う必要があります。

2020年の成功は2021年に持ち越せない

一方、ワクチン接種が感染の抑制に一定の効果があるのは間違いありません。しかし気をつけなくてはならないことが2つあります。1つはワクチン接種の効果は遅れて出てくること、もう1つは効果が非線形であらわれること。つまり「これだけ接種率を上げたからこれだけ感染者数が下がる」といったような形では効果はあらわれません。接種完了率が20%に達したら、感染者数も20%下がる、50%に達したら、50%下がるわけではないのです。

たとえばウルグアイはラテンアメリカの中でもいちはやくワクチン接種を進めた国ですが、感染者数や死者数の明らかな減少が見られたのは、1回以上接種率60%、接種完了率が30%に達してからです[*3]。

イスラエルでも同じ現象が見られます。イスラエルは世界の中で最も迅速にワクチン接種を進めた国の一つですが、デルタ株の蔓延で新規感染者数が上昇に転じ、再び厳しい感染抑制策を実施することとなりました。

これらの結果はそれぞれの変異株に応じて、必要なワクチン接種完了率が変わってくるということを示しています。1人の感染者から何人に感染が広がるかを示す「基本再生産数」(R_0)は変異株によって異なります。最初の変異株の基本再生産数は3でしたが、アルファ株は4~5、デルタ株は5~8です[*4]。

これが何を意味しているかといえば、基本再生産数が3であれば、66%の接種完了率が必要で、8であれば、87・5％の接種完了率が必要だということです。[*5] そこに達しないとウイルスが広がり続ける可能性が高いのです。

現状、世界のワクチン接種完了率はまだまだ低く、すべての国々が87・5％を達成するのは至難の業です。アメリカの接種完了率は50％からなかなか上がっていきませんし、発展途上国はワクチンを入手することすら困難な状況です。しかし経済を完全に再開させるには、高い接種完了率を達成することが不可欠です。

ロックダウンや行動制限の解除による経済活動の再開は、その国のGDPの成長に大きく寄与します。しかし問題は、経済活動を再開するためには何％の接種完了率を達成しなければならないのか、という点です。ワクチン接種を迅速に進め、いちはやく経済活動を再開させたイギリスは、再びロックダウンを実施していますし、その他のヨーロッパ諸国もデルタ株の蔓延で行動制限を余儀なくされています。

アメリカの経済活動はほぼ平時に近い状態にまで戻っていますが、この状況をいつまで続けられるかわかりません。私が住むマサチューセッツ州の接種完了率は63％（7月15日時点）ですが、ミシシッピ州やアラバマ州では、34％（同）です。接種完了率が低い州では感染が急拡大しており、おそらく再びロックダウンが実施されるでしょう。

つまり、2020年に効果的だった施策を2021年に講じても、もはや効果を発揮しないということを数々の事例が示しています。たとえば2020年、オーストラリアは厳しいロックダウンによって感染の抑制に成功しましたが、現在、感染が急拡大しています。その理由は、2020年の感染者が少なかったため、ワクチンの確保や接種体制で後れをとってしまったことです。

デルタ株の猛威に対しては、どの国もロックダウンとワクチン接種の両方を徹底して進めるしかありません。

「行動制限」と「ワクチン接種」の併用しかない

日本はこれまで行動制限と「検査・追跡・隔離」によって感染を抑制してきましたが、他の国や地域にくらべてもいまのところ死者数を抑えられていると思います。死者数1万5000といえば、私の住むマサチューセッツ州の死者数1万8000人とほぼ同じレベルです（7月15日時点）。日本の人口は1億2500万人で、マサチューセッツ州の人口は700万人です。日本はマサチューセッツ州の20分の1程度に抑えられている。

これは評価すべきだと思います。

一方、ワクチン接種の遅れは明らかに失敗です。デルタ株の猛威による急激な感染拡大、東京オリンピック・パラリンピックの開催を考えると、低いワクチン接種完了率は日本にとって大きなリスクとなります。

「検査・追跡・隔離」は感染者数が少ない段階では有効ですが、一旦感染が爆発してしまうとシステムそのものが機能しなくなります。デルタ株が猛威をふるう日本においては、もはやすべての感染者を追跡し、隔離することなど不可能です。とにかくワクチン接種を進め、新たな変異株が蔓延する前に、できるだけ早く高い接種完了率を達成することです。

日本はこれまで他の国のような厳しいロックダウンを実施していません。しかし、デルタ株の基本再生産数は著しく高いことを理解すべきです。極論をいえば、87・5％のワクチン接種完了率を達成しない限り、広がり続けるのです。

日本でも2020年にうまくいった感染対策は2021年には通用しません。日本にとって大切なのは、自国でどのような対策をとればデルタ株の感染拡大を抑えられるのか、そのメカニズムをいち早く解明することです。

繰り返しになりますが、長期的に見れば感染抑制に最も効果的なのはワクチン接種です。対人距離の確保や移動制限、行動制限は暫定的な措置であり、根本的な解決にはなりません。ただし、高いワクチン接種完了率を達成するまでの過程では、一定の抑制効果をあげる可能性が高いですから、ワクチン接種と平行して実施していく必要があります。

世界各国はパンデミックがこれからも続くという前提で感染対策にのぞむべきです。いまのところ厳しいロックダウンを実施しながら、高いワクチン接種完了率を達成すること以外に解決策は見えていません。

2024年までに先進国と発展途上国の格差は広がり続ける

コロナ危機は、発展途上国の経済や社会にとてつもなく大きな打撃を与えています。その被害は先進国とはくらべものにならないほどです。IMFは、2024年のアメリカのGDP成長率はパンデミック前の予測を超えると予測していますが、中国を除くアジアの発展途上国、ラテンアメリカ諸国、サハラ砂漠以南のアフリカ諸国の成長率については、パンデミック前の予測よりも５〜８％ほど落ち込むと予測*6しています。

世界経済がコロナショックから回復しても、コロナ前に戻るわけではありません。２０２４年までに、先進国と途上国の経済格差はさらに広がるでしょう。途上国の中には、国民の貧困がさらに深刻になる国もでてきます。

パンデミック発生直後に起きた経済危機から多くの国が急速に回復できたのは、資本市場が各国政府の資金調達に協力的だったからです。政府が財政出動のための資金を調達できたのはせめてもの救いでした。

資本市場はアメリカ、ＥＵ（欧州連合）のような先進国だけではなく、発展途上国の政府の資金調達にも協力的でした。メキシコやチリなど財政状況が比較的良い国だけではなく、ヨルダン、アルバニア、ホンジュラス、パラグアイなど、信用格付けの低い国についても支援しました。

しかしこの状況はまもなく変わってくると思います。２０２１年の情勢は、前年よりもはるかに厳しいからです。どの国の国民も度重なるロックダウンやソーシャル・ディスタンスに辟易していて、我慢も限界に達しつつあります。こうした国民の不満や怒りは政府に向けられます。資本市場は、その国の政情が不安定になると、投資不適格国と判断して、資金を拠出しなくなります。2021年7月現在、すでに複数の格付会社がコロンビアに対して格付け引き下げを行っています。コロンビア政府が信頼できる財政計画を示すことができなかったため、これ以上投資するのはリスクが高いと判断したためです。今後はコロンビアに限らず、発展途上国の債務不履行リスクは高まっていくと思います。

日本は脱炭素時代を生き抜けるか

世界銀行は日本の実質GDPの成長率を2021年2・9%、22年2・6%、23年1%と予測[*7]しています。ただ、21年、22年の数字は、20年のコロナショックから回復する過程の数字であり、実質成長率ではありません。23年の1%が日本の本来の実質成長率です。

私たちの研究所は2029年までの日本の1年あたりの平均成長率を2・3%と高めに予測[*8]していますが、その理由は日本が技術革新に成功すれば、そこに大きな成長機会があると見ているからです。私たちが発表している経済複雑性指標（ECI）ランキング*[9]によれば、日本は世界で最も経済複雑性が高い国であり、高度な独自技術を保有している国です。

しかしながら私たちの研究所が今後、日本の経済予測をするにあたって考慮すべき重要な点があります。それは日本が一次エネルギーのほぼすべてを輸入に依存していることです。日本のエネルギー源の９割近くは化石燃料です。原料となる石油、天然ガス、石炭をほぼすべて輸入することによって、国内で必要なエネルギーをまかなっているのです。

世界ではいま脱炭素化が進んでいます。脱炭素社会で主体となるのは再生可能エネルギーです。再生可能エネルギーと化石燃料由来エネルギーの大きな違いは、輸送手段と輸送費用です。再生可能エネルギーは輸送するのが難しく、なおかつ、輸入しようと思うと膨大な費用がかかるのです。

たとえば私の祖国のベネズエラから日本へ船で石油を運んでも、それほど費用がかかりません。日本にとって石油を輸入し、石油由来のエネルギーを使用することは、経済的にも理にかなっています。ところが、その石油由来のエネルギーが使えなくなったらどうなるでしょうか。水素を輸送するには、石油よりもずっと費用がかかりますし、風力や火力から水素を製造するにもコストがかかります。

つまり日本のようなエネルギー自給率が低い国が脱炭素社会を実現するには、地理的に近い国から再生可能エネルギーを調達する必要が出てくるのです。エネルギーの転換は企業にも大きな影響をもたらします。

日本と同じくエネルギー資源のほとんどを輸入に頼っているのが韓国です。製鉄事業は、韓国の主要産業の一つですが、鉄鋼製品を製造するには膨大な電力を要します。ところが化石燃料由来のエネルギーを使用できなくなれば、その代替として再生可能エネルギーを調達しなくてはなりません。その費用がとてつもなく高額であったらどうなるか。韓国国内で生産するのが難しくなります。そうなれば韓国は製鉄分野での優位性を保てなくなってくるでしょう。

この現象は韓国だけに限りません。エネルギー集約型産業は、再生可能エネルギーを創出する国のエネルギー源に近い場所に生産拠点を移動しなくてはならなくなります。エネルギー自給率の低い日本は、今後、自国の知識、創造性、情報を結集して、この問題に取り組むべきだと思います。日本は経済複雑性の最も高い国ですから、エネルギー集約型産業がこれ以上大きく成長する余地がありません。脱炭素社会の到来が迫る中、国をあげてエネルギー集約型産業の未来戦略を考えていかなくてはなりません。

１９８０年代から日本企業は安い「労働力」を求めて生産拠点をアジアへと移してきましたが、今後は安い「再生可能エネルギー」を求めて、生産拠点を移していく必要が出てくるでしょう。本社機能、研究・開発機能などは日本に置きながら、再生可能エネルギーをより安く調達できる国へと生産拠点をどんどん移転させていく「雁行」(Flying Geese）現象が起こってくると思います。

第４次産業革命に乗り遅れるな

日本が２％以上の経済成長を実現するには何をすべきか。日本のように製造業が強い国においては、技術的な分野の主導権を握ることが不可欠です。

世界ではいま第４次産業革命（インダストリー４・０）が起こっています。第４次産業革命後の世界では、ビッグデータ、ＡＩ、３Ｄプリンティング技術などの分野に卓越している国や企業が優位に立ちます。私が懸念しているのは日本がこうした急速な技術移行の過程で他のＩＴ先進国に後れをとってしまうことです。なぜなら、こうした技術移行が起きると、前の世代で開発した技術が役に立たなくなってしまうことが多々あるからです。

日本は過去数十年間にわたって製造業の分野で世界のリーダーシップをとってきた国であり、トヨタ生産方式に代表される優れた生産方式は世界のロールモデルとなってきましたが、この優位性を第4次産業革命後も保てるかどうかは未知数です。現在、世界で最も時価総額の高い企業は、アップル、マイクロソフト、アマゾン・ドット・コム、アルファベット（グーグル）など、いずれもネットワーク産業に属する企業です。

携帯電話市場の歴史を振り返ってみれば、この技術移行に付いていくのがいかに難しいかがわかるはずです。かつて市場を席巻したノキアは、スマートフォンへの移行の過程で主導権を握れず、あっという間に市場を奪われてしまいました。ノキアのような失敗を日本企業がおかしてしまう恐れは十分にあります。

今後、あらゆる技術は統合されていくでしょう。製品のＩｏＴ化が進み、製品とソフトウェアの一体化が進んでいきます。現在、テスラの時価総額はトヨタ自動車を上回っていますが、生産台数が微少であるにもかかわらず、同社の時価総額が上昇しているのは、第4次産業革命後に勝ち組になることを株式市場から期待されているからです。

テスラの優位性はハードウェアよりもソフトウェアにあります。テスラは伝統的な生産方式にのっとらなくとも、電気自動車を製造することができます。日本の自動車メーカーもこうした新しいテクノロジーをいち早く身につけ、優位性を確立するべきです。

第４次産業革命後の世界で鍵を握るのがデータです。日本企業は、製造業だけではなく、ネットワーク産業でもメジャープレーヤーにならなければ、製品を開発するための重要なデータも得られず、新たな破壊的企業に取って代わられてしまうでしょう。

日本がさらに高い成長率を実現するには、第４次産業革命、そしてその後の世界において技術的な分野の主導権を握らなくてはなりません。そのためには、今持っているスキルとは全く違うスキルを迅速に身につける必要があります。これこそが、日本がさらに成長するための最重要課題なのです。

２０３０年の展望　脱炭素化とタスクのグローバル化が加速する

２０３０年代、世界の人々は「グリーン製品」（温室効果ガス排出削減に貢献している製品）と「グレイ製品」（温室効果ガスを大量に排出する製品）を明確に区別し、日用品等を買う際にも「この製品はどれだけ温室効果ガスを排出しているのか」をより厳しくチェックするようになるでしょう。また道で走っている自動車の大半は電気自動車となり、グレイ製品であるガソリン車はほとんどなくなっているはずです。

グレイ製品からグリーン製品への移行は、BtoBの分野でも加速すると思います。たとえば、企業が鉄鋼を購入する際にも「グレイ鉄」は買わずに「グリーン鉄」を買おう、といった感じで、「グレイ製品」は市場から淘汰されていくでしょう。

また、モノのグローバル化はこれ以上進まない一方で、2030年代までの間に進むと想定されているのが、タスク（仕事）のグローバル化です。

パンデミック下で明らかになったのは、仕事のすべてを会社で行う必要がないことです。パソコンやスマートフォンがあればたいていのオフィスワークは自宅でもできますし、ミーティングも簡単にリモートでできます。もはや同じ時間に同じ部屋に物理的に集まる必要性はなくなりました。場所による制約がなくなれば、社員はどの国にいても同じ生産性で仕事をすることができますし、企業は、人件費がかかる仕事の一部を賃金の安い国の人々に代行してもらうことが可能になります。いわゆるホワイトカラーの仕事は、今後、発展途上国へ移転していく可能性が高まっているのです。

ある大手コンサルティング会社の海外支社は、アメリカなどからの発注が増え、過去5年にわたって、毎年売上を30％ずつ伸ばしているそうです。その支社はアメリカから遠く離れた発展途上国にありますが、その国の賃金水準はアメリカに比べれば格安。英語さえ問題なければ、同じプロジェクトをアメリカ本社よりもはるかに安価に請け負うことができます。

製造業においても同じことがいえます。たとえばシャツを製造している会社には、デザイン、原料調達、裁断、縫製、宣伝、販売といったタスクがあります。これまでは労働集約的な仕事のみを発展途上国で行ってきましたが、今後はデザインやマーケティングなどの仕事の拠点も発展途上国に移転していく可能性があります。

今後はタスクのグローバル化が進み、世界的にバリューチェーンの再設計が加速していくと思います。タスクのグローバル化は大きな社会現象になってくるでしょう。

世界の趨勢としては脱炭素化と、気候変動への取り組みがますます重要になってくるでしょう。

また引き続きグローバルヘルス（感染症対策など、国際的な連携が必要とされる健康課題）にも積極的に取り組んでいかなくてはなりません。

現在世界中でワクチンが不足していますが、ＥＵはワクチンの輸出を制限していますし、インドはアストラゼネカ製のワクチンの輸出を中断しました。これは大きな問題です。世界はいまこそグローバルヘルスを推進するシステムを構築し、将来のパンデミックに備えて、ワクチンの開発・生産・調達を今よりも迅速に行えるような体制をつくるべきです。

そのためには、世界各国がそれぞれの役割を果たさなくてはなりません。先進国は新しいワクチンや治療薬の開発を迅速に進め、発展途上国は生産を担うといったように、互いに得意な分野を担い、世界の健康安全保障を推進していくことが不可欠です。

再びパンデミックが発生しても、国際社会がより賢く対応し、これ以上最悪の事態にはならないことを願いましょう。

技術立国日本に必要なのは新たなイノベーション創出モデル

日本では少子高齢化が急速に進んでいます。今後、経済を成長させていく上では、移民の受け入れが課題となってくるでしょう。文化的に同質で、高齢者の割合が高い国が、多文化・多民族国家へ移行していくのは大きなチャレンジだと思います。

さらに日本にとっての重要課題は、技術革命の過程で主導権を握ることです。技術立国でない国にとってはそれほど重要ではありませんが、日本にとっては経済成長を維持していくための必須条件です。パンデミック後の世界においても、日本には技術分野でリーダーシップをとれる能力は十分にあるでしょう。ただし、すべては日本が世界で急速に進むイノベーションについていけるかどうかにかかっていると思います。

技術革新の歴史を振り返れば、20世紀、多くの特許技術は巨大企業から生まれました。トランジスタ、レーダー、衛星通信、携帯電話で使用される主要な技術などをすべて発明したのはAT&Tです。[*10] 当時、多くの産業は許認可事業であり、市場は大企業による寡占状態となっていました。そのため、イノベーションは巨大企業グループから生まれるというのが定石でした。日本流にいえば大企業とその系列会社がイノベーションの源泉だったのです。

ところが現在、アメリカのイノベーションの多くはスタートアップ企業から生まれています。大企業はもはや最先端のイノベーターではありません。イノベーション創出モデルが変わってしまったのです。日本は大企業からイノベーションを起こすのは得意でしたが、スタートアップ企業からイノベーションを起こすのはあまり得意ではない印象を受けます。

たとえばパンデミック下で急速に成長しているのがゲーム産業です。世界のゲーム産業において、日本企業が優位に立っているのはハードウェアの分野です。しかし今後の成長の鍵を握るのは、ソフトウェア、すなわちデジタルコンテンツです。さらにそのコンテンツを動画配信サイト、ポッドキャストなど、あらゆるニューメディアに配信していかなければなりませんが、これらの産業のイノベーションを主導しているのもスタートアップ企業です。スタートアップ企業はそれぞれ独立した組織ですから、日本企業の「系列会社」にはできないでしょう。

日本の課題は、これまで日本が得意としてきた大企業主導型のイノベーション創出モデルを変革することでしょう。それには企業文化も新たな時代に適応させていかなくてはなりません。そうすれば日本はこれからもテクノロジーの分野でリーダーシップをとることができ、世界に貢献できると思います。

（2021年7月15日インタビュー）

第6章

21世紀のリーダーに不可欠なのは科学技術の知識だ

©Kent Dayton

Willy C. Shih

ウィリー・シー

ウィリー・シー　Willy C. Shih

ハーバード大学経営大学院教授。専門はマネジメント。特に製造業と製品開発について研究。同校にて「テクノロジーとオペレーションマネジメント」「成功する企業の構築と持続」などの講座を教える。IBM、イーストマン・コダック等で要職をつとめた後、2007年より現職。トヨタ自動車、コマツ、東京エレクトロンなど、日本企業に関する教材を多数執筆。主な共著書に“Producing Prosperity: Why America Needs a Manufacturing Renaissance”(Harvard Business Review Press)。同書はオバマ元大統領の愛読書としてアメリカ国内で話題を集めた。

新型コロナワクチン開発から撤退した米製薬企業メルク

私は2020年9月、米製薬大手メルクの事例を取り上げた教材『メルク：新型コロナウイルスワクチン』[*1]を新たに出版し、ハーバード大学経営大学院の授業で教えてきました。メルクに注目した理由は2つあります。1つは危機下において企業のリーダーの決断がいかに大切かを学ぶことができること、もう1つは、リーダーが正しい決断をするためには、科学技術の知識が不可欠であることを教えてくれることです。

メルクは2021年1月、新型コロナウイルスワクチン候補であったV590とV591の開発を早々にとりやめることを決めました。メルクが開発を進めていたウイルスベクターワクチンはmRNAワクチンほど発症予防効果が高くないことがわかったからです。ケネス・フレイザーCEO（当時）は結果的に良い決断をしたと思います。この段階で撤退するのはかなり難しいことですが、新型コロナウイルスの治療薬の開発に集中するという決断は正しかったと思います。

製薬ビジネスはハイリスク・ハイリターンで、1つの治療薬、1つのワクチンの研究開発には長い時間を要します。しかもそのどれが承認に至るかどうかもわかりません。そのため、自社でまかなえない領域については、テクノロジーや特許を買収する必要があります。フレイザー氏はリスクとリターンを考えて、ワクチン開発から撤退するという決断を下しました。自社の持つ科学技術力を正しく理解していなければ、このような決断はできなかったと思います。

パンデミックで明らかになったのは、アメリカ政府の中枢に科学技術の知識に長けた人材が不足していることです。もちろん、アメリカ生物医学先端研究開発局（ＢＡＲＤＡ）などの機関には優秀な専門家はたくさんいます。しかし政策を決定する中枢にいないのです。伝染病、ウイルスの感染メカニズム、感染症予防策などについて専門的な知識を持っている政治的リーダーがいれば、初期の段階でもっと効果的な対策がとれたはずです。

ハーバード大学経営大学院は未来のリーダーを育成する教育機関です。私たちは、民間企業だけではなく、政府や公共機関のリーダーも育成しています。パンデミック下で学ぶＭＢＡプログラムの学生には、このメルクの事例から、科学技術の知識を身につけることの大切さを認識してほしいと思います。

アメリカには「デジタル技術だけが世界に革命をおこすことができる」と信じて疑わない人たちがたくさんいて、機械学習やデータサイエンスさえ学べばよいとする風潮があります。私が科学技術情報を満載したメルクの教材を出版したときもハーバードの同僚から、「ウィリー、経営者はＤＮＡの構造なんて知らなくたっていいんだよ」と言われたくらいです。しかしそれは間違いだと思います。

私は、21世紀はライフサイエンスの時代だと考えます。今世紀最も重要な革命は、ライフサイエンス革命です。ｍＲＮＡワクチンはその代表例でしょう。このような時代に生きる未来のリーダーにとって、科学技術の基礎知識を身につけておくことは不可欠です。私は何も「ＣＥＯ自ら研究所で研究しろ」と言っているわけではありません。経営者は、少なくとも自社の属する業界の専門用語や基本概念に精通しておく必要があると言っているのです。

私は日本企業の強さの本質は、経営者が専門的な技術を正しく理解していることだと思います。ただデジタル化すればよいというものではないのです。

ワクチン開発は1日にしてならず

ハーバードの授業ではワクチン開発の歴史と政府の補助金についても教えています。一般的には「ｍＲＮＡワクチンはあっという間にできた」と思われていますが、実はそうではありません。ｍＲＮＡの基本となるコンセプトは、１９８０年代後半に実証され、１９９０年代にｍＲＮＡを治療薬やワクチンに生かすための研究が進みました。[*2] モデルナがｍＲＮＡワクチンの開発をスタートしたのも、いまから10年以上も前のことです。

アメリカ企業がワクチン開発で先行したのは、アメリカ国立衛生研究所やアメリカ国立科学財団などの政府機関が１９８０年代からゲノム科学、分子生物学、バイオテクノロジーなどライフサイエンスの分野に莫大な投資をしてきたからです。これらの投資がなければ、ｍＲＮＡワクチンの基本となる技術は開発できなかったでしょう。

さらに２００６年に設立されたＢＡＲＤＡは、ワクチン開発を推進するために直接的な支援を行ってきました。ＢＡＲＤＡが優れていたのは、ｍＲＮＡワクチン、伝統的なウイルスベクターワクチン、ウイルス様粒子ワクチンなど、様々なワクチンに分散して投資したことです。BARDAは新型コロナウイルスワクチン開発のためにすでに製薬各社に100億ドル以上拠出しています。[*3]平時であれば、「こんな莫大な金額を投資するなんて無駄ではないのか」と考える国民もいるでしょうが、パンデミックによる途方もない経済打撃にくらべれば、100億ドルの投資など微々たるものです。

2020年5月には、アメリカ政府が新型コロナワクチンの開発と供給を目的とした国家プロジェクト「オペレーション・ワープ・スピード」を発足させ、新たに100億ドル以上の予算を確保しました。授業では製薬会社のリーダーの立場から、こうした政府の補助金を生かして、どのようにワクチンの開発や製造を加速させるかを議論していきます。

ハーバードの学生が感動するトヨタの病院改革

2021年8月には、トヨタ自動車の地域貢献活動に着目した教材『フェアパーク新型コロナワクチン大規模接種センター（A）』[*4]を出版しました。この教材は、パンデミック下でトヨタがNPO法人「トヨタプロダクションシステム・サポートセンター」

（Toyota Production System Support Center, Inc. 以下、ＴＳＳＣ）を通じて、いかに地域社会に貢献したかを記したものです。ＴＳＳＣはおよそ30年にわたって、北米の製造業企業、公的機関、医療機関など３００以上の企業・団体にトヨタ生産方式のノウハウを提供し、その改善活動を支援してきました。教材では、２０２１年２～３月にＴＳＳＣがテキサス州ダラス郡の大規模接種センターで実施した改善活動を取り上げています。

このケースを書きたいと思ったのは、２０２０年の秋にＴＳＳＣとその支援先を招いて開催したオンラインのセミナーが学生から大好評だったからです。コロナ禍で研修旅行が実施できなかったので、「バーチャル研修旅行」のような形で開催したのですが、３００人以上のＭＢＡプログラムの学生が参加するほどの人気ぶりでした。

このセミナーでは2か所の現場と結んで、話をうかがいました。まず１つめがロサンゼルスの公立病院、ハーバーＵＣＬＡメディカルセンターです。この病院は病床と手術室に十分な空きがなく、患者が手術を受けるまでに何か月も待たなくてはならないという問題を抱えていました。特に眼科は、手術を待っていたら失明をしてしまうような深刻な糖尿病患者が受診していても、手術ができないでいたのです。

そこでＴＳＳＣがトヨタ生産方式を導入して、オペレーションの見直しをおこなったところ、眼科の受付から会計までの時間が半分に短縮され、1日に治療できる患者の数も2倍になり、[*5]手術の待機日数も短縮されたそうです。

もう1つはニューオーリンズの「セントバーナードプロジェクト」です。これはハリケーン・カトリーナなどで甚大な被害をうけた人々の住居を再建するニューオーリンズ市のプロジェクトです。TSSCが、トヨタ生産方式に基づいた住居の再建プロセスを構築したところ、1軒あたりの建築にかかっていた日数は平均116日からおよそ60日に短縮し、1か月あたりの建築数も8・6から12・8に増えたそうです。[*6]

学生はTSSCに支援してもらった現場の人たちの話を聞き、トヨタ生産方式がもたらした変化に驚くと同時に感動していた様子でした。

テキサスの大規模接種センターを危機から救ったトヨタ

教材『フェアパーク　新型コロナワクチン大規模接種センター（A）』で紹介したケースについてもお話ししましょう。2021年2月、ダラス郡は大量のワクチンを迅速に接種するために、新たにドライブスルー方式を採用することにしました。しかしダラス郡のクレイ・ジェンキンズ郡判事は自分たちの力だけで接種センターを立ち上げ、運営するのは難しいと考え、TSSCに助けをもとめたのです。

ドライブスルー形式の接種場所が設置されたのは2月8日。後日、TSSCのスタッフが到着したときには、すでに大混乱が生じていました。ワクチンを注射する担当者は車と車の間を動きまわり、ボランティアは登録情報がデータベースと照合できず、iPadを持って走り回り、カオスのような状態でした。接種を待つ車の列は高速道路上まで続き、列に並んでから接種が終わるまで5時間もかかるほどだったのです。

このケースはトヨタ生産方式の本質を学ぶのに最適な教材です。教材をもとに学生には、「自分だったらトヨタ生産方式をつかって、この状況をどのように解決するか」を議論してほしいと思っています。

危機下で真価を見せる「地域貢献」の精神

トヨタには、「各国、各地域の文化、慣習を尊重し、地域に根ざした企業活動を通じて、経済・社会の発展に貢献する」[*7]という企業理念があります。この考え方は社員の指針となり、トヨタの繁栄の原動力になってきました。世界中の自動車メーカーの中でも、トヨタほど、雇用主として、企業市民として、最善をつくそうとしている企業はありません。

先ほどのワクチン接種センターの事例のように、コロナ禍でトヨタが、直接、地域社会に貢献する活動を行っているのは言うまでもありませんが、この理念は、不測の事態に強いサプライチェーンの構築においても有効に働いたと思います。

パンデミック下でトヨタのサプライチェーンが競合他社ほど打撃をうけなかったのは、トヨタが企業理念に基づき、できるだけ現地のサプライヤーから部品を調達し、現地の経済や社会に貢献する方針をとってきたからです。ケンタッキー工場もインディアナ工場も、地元のサプライヤーから大半の部品を調達しています。距離的に近いところから部品を調達していれば、物流や人流が制限されても、リスクは軽減されます。

多くのグローバルメーカーは「わが社は世界中の拠点にトヨタ生産方式を導入している」といいますが、危機下のロジスティクスを甘く見ていたと思います。コストが安い国のサプライヤーから調達することを重視した結果、パンデミックでサプライチェーンが混乱を来し、大きな打撃を被りました。

2030年の展望　サプライチェーンの再編が進む

新型コロナウイルスの感染拡大は何よりもサプライチェーンに甚大な影響を与えています。現代の製品のほとんどは何層ものサプライチェーンを経て製造されていて、サプライチェーンは細分化していくばかりです。たとえばパソコンメーカーには、キーボード、バッテリー、メモリなどを専門に製造するサプライヤーがいますが、そのサプライヤーの下にはさらに多くのサプライヤーが連なっています。

パソコンメーカーが直接発注するのは100社だったとしても、その100社にはそれぞれ30のサプライヤーがいて、その30社には、さらに100のサプライヤーがいる、といった具合で、サプライチェーンがどんどん複雑化しているのです。メーカーがすべてのサプライチェーンを把握することはまず不可能です。1層、2層ぐらいまでは把握できても、3層、4層のサプライヤーまでは把握できません。

またサプライヤーも世界各国に分散していて、1つの部品を製造するのに、台湾、ベトナム、中国など数か国の生産拠点を経ることなどよくあることなのです。

このサプライチェーンを構成する1社が操業停止になったりすれば、それが仮に3層目、4層目の会社であったとしても、サプライチェーン全体が機能しなくなってしまいます。すべてのサプライチェーンを組み直さなくてはならない。これが現在のパンデミック下でおこっていることです。

またコロナ禍で海上貨物輸送費も急騰しています。*8 安い労働力をもとめて国外で製造しても、輸送費が高ければ、割にあいません。これまで国外生産が経済的だったのは、人件費に加え、輸送費も安かったからです。それが高くなれば、サプライチェーンを大幅に見直す必要が出てくるでしょう。にもかかわらず、なぜいまも多くのグローバルメーカーが国外で製造しつづけているかといえば、パンデミック下で代替サプライヤーを見つけられていないからです。2020年に世界中から中国企業への発注が急増したのも、他の国のサプライヤーが仕事を受けられなかったことが要因です。

今後10年間、製造業のリーダーは「インテリジェント・サプライチェーン・デザイン」というキーワードを頭に留めておかねばなりません。より賢いサプライチェーンの設計が、すべてのメーカーにとって大切になってくるでしょう。

メーカーは価格競争からの脱却を

メーカーが2030年に向けてさらに成長していけるかどうかは、業界全体がこの危機で得た教訓からどれだけ学べるかにかかっていると思います。

私がハーバードでサプライチェーンについて教えるときに、いつも例としてあげるのが、2011年3月、東日本大震災でルネサスエレクトロニクスの那珂工場（茨城県ひたちなか市）が被災し、自動車向け半導体が供給停止に追い込まれた事例です。なぜならこのときの経験から、自動車業界は多くを学んだからです。東日本大震災を機にサプライチェーン改革を行ったメーカーも数多くありました。

同じように、世界中のメーカーがパンデミック下での経験から学び、部品などのストックを増やし、不測の事態にも対応できるサプライチェーンを築いていくことを期待しています。コロナ禍においても日本のメーカーは底力を見せ、特にニッチ市場での強さが目立っています。この傾向は今後も続くでしょう。日本は、製造装置、ロボティクスなどの分野で、世界のリーダーです。日本企業には、今後も世界の製造業において重要な役割を果たしてほしいと思います。

世界の製造業にとっての課題は依然として価格で勝負しようとしていることです。いま多くのアメリカのメーカーは「重要な部品については今後、国内調達率を高める」と言っていますが、今はそう思っていても、今後はわかりません。アメリカ国内で調達すれば部品のコストが高くなります。そうなれば商品の価格も高くなり、安さで勝負できなくなってしまいます。パンデミック後に輸送費などの問題が解決すれば、再び国外移転を進めるかもしれません。

価格以外で勝負するためには、新しいテクノロジーに投資し、イノベーションを創出しなければなりません。どのメーカーにとっても、不測の事態にも強いサプライチェーンを構築しつつ、新たな優位性を確立していくことが課題となるでしょう。

（2021年6月10日インタビュー）

第7章

コロナ禍の東京ディズニーリゾートから世界が学ぶべきこと

©Russ Campbell

Ramon Casadesus-Masanell

ラモン・カザダスス＝マサネル

ラモン・カザダスス＝マサネル
Ramon Casadesus-Masanell

ハーバード大学経営大学院教授。専門は競争戦略。同校のMBAプログラム及びエグゼクティブプログラムにて企業戦略、ビジネスモデル戦略、競争優位の戦略論などを教える。主な研究テーマは、異なるビジネスモデルを持つ部門間の戦略的相互作用、経営における契約の限界と信頼が果たす役割。学術誌「Journal of Economics & Management Strategy」の編集者、野村マネジメント・スクール「トップのための経営戦略講座」の講師を務めるなど対外的にも幅広い活動を行っている。

東京ディズニーリゾートはなぜハーバードの研究対象になったのか

２０２０年4月、東京ディズニーリゾートを運営するオリエンタルランドをテーマとした教材『株式会社オリエンタルランド—東京ディズニーリゾート』[*1]を出版しました。東京ディズニーリゾートに興味をもったのは、私たちハーバードの教員や学生の常識とは異なる運営方法で成功しているテーマパークだからです。

これまでハーバードの企業戦略の授業では、しばしばウォルト・ディズニー・カンパニー（以下、ディズニー）の事例をとりあげて議論してきました。その主要なテーマは「ディズニーはシナジー（相乗効果）を創出するのに事業や会社を物理的に所有する必要があるのか」「ディズニーにとってテーマパーク、グッズを販売するストア、ホテル等、すべてのビジネスを所有するのがベストな戦略なのか」などです。

こうした質問を私が投げかけると、多くの学生が「ディズニーにとって最も重要なのはビジネスを所有することだ。ディズニーは、顧客体験とブランドを完全にコントロールしなければならないから、これを契約のみでコントロールするのは不可能だ」と主張します。つまりすべてのビジネスを所有することが望ましい、という考え方です。

これは経済理論からみても極めて合理的な考え方です。実際にディズニーはアメリカ国内ではテーマパーク、ストア、ホテルなど、すべてのビジネスを所有する方針をとって成功していますから、学生が「所有はディズニーグループの価値を最大化するための必要条件だ」と考えるのも無理もありません。

一方、東京ディズニーリゾートはこの成功パターンにあてはまりません。ディズニーとオリエンタルランドは資本関係がありませんし、ディズニーは東京ディズニーリゾートの土地や建物、オフィシャルホテルを物理的に所有していません。にもかかわらず、東京ディズニーリゾートは世界で最も成功しているテーマパークの一つになっています。

この運営を担っているのがオリエンタルランドです。同社は1983年の開園以来、テーマパークとホテルを見事に運営し、同社とディズニーの双方に巨大な価値をもたらしてきました。この成功要因は何なのかをもっと知りたいと思い、オリエンタルランドについて本格的に研究することにしました。ハーバードビジネススクール日本リサーチ・センターの協力で、オリエンタルランドの経営チームや関係者に直接取材し、教材として出版することができました。

クオリティーの高さに感嘆

２０１７年に初めて東京ディズニーリゾートを訪問したときのことは、今も鮮明に覚えています。アメリカのディズニーリゾートを何回か訪問したことがあったので、東京ディズニーリゾートもクオリティーが高いテーマパークであることは想定していましたが、実際に訪れてみると、想像を遥かにこえる素晴らしさでした。すべてのオペレーションが完璧で、パークにはゴミひとつ落ちておらず、キャストは皆、驚くほど親切で、礼儀正しく、思いやりにあふれていました。

特に印象に残っているのが、東京ディズニーシーでの出来事です。子どもたちへのお土産にダッフィーのぬいぐるみを買って帰ろうと思って、とあるストアの売り場の前でどれにしようか悩んでいると、とても親切なキャストが「ダッフィーは日本オリジナルのキャラクターなんですよ！」と話しかけてくれたのです。ダッフィーは私のお気に入りのキャラクターですが、日本オリジナルだとは知りませんでした。訪問したのは雪が降っているような寒い日だったのですが、キャストと話しているととても幸せな気持ちになりました。

またレストランの味も最高だったこともお伝えしておきたいと思います。東京ディズニーリゾート内には和食レストランなど、日本の顧客を意識した店舗も見られましたが、ディズニーブランドの方向性に見事にマッチしていました。

実際に訪れてみて、なぜ東京ディズニーリゾートが世界のテーマパークの中でもこれほど成功しているのかがよくわかりました。従業員は、ディズニーブランドの意味するもの、夢と魔法の王国での体験の価値を深く理解していて、経営チームはこうした価値を尊重し、維持し、守っていくことに尽力していました。

東京ディズニーリゾートでの思い出は、今も私の記憶の中に深く刻まれています。2020年に5歳の娘と7歳の息子をつれて家族で訪問する予定でしたが、残念ながらパンデミックが起きて延期となってしまいました。できるだけ早く訪問したいと思います。

関係会社を「所有」するのは正しい戦略なのか

2020年の教材出版後、MBAプログラムやエグゼクティブプログラムの戦略の授業で試験的にオリエンタルランドの事例をとりあげてみましたが、学生からは非常に好評でした。授業では、主に3つのテーマで議論しました。

まず1つめは、「ディズニーとオリエンタルランドは資本関係がないのに、どのようにしてテーマパークの運営を成功させているのか」――ディズニーのテーマパーク事業における最も重要な戦略的資産（企業に競争優位性をもたらしている有形／無形資産）は、比類なき顧客体験とブランド価値です。ディズニーはオリエンタルランドにこうした戦略的資産をどのように浸透させているのか。ディズニーにとって重要なのは、ゲストがどのディズニーパークに行っても同じレベルの高品質な顧客体験ができることです。一般的には、他社にパークの運営をまかせたり、対面サービスを行うキャストをアウトソーシングしたりすれば、顧客体験の一貫性を維持するのが難しくなります。それを可能にしているのは何なのか。

2つめが、「オリエンタルランドはなぜ2010年、ディズニーストアをディズニーに売却したのか」――ディズニーストアのオペレーションのほうが、テーマパークのオペレーションよりもずっと単純なように思えます。にもかかわらず売却したのは、そのほうが双方にメリットがあったからでしょう。その戦略的な要因は何だったのか。

3つめが、「オリエンタルランドの垂直統合戦略は、矛盾する戦略ではないのか」――同社はテーマパークの運営を請け負う一方で、農業ビジネスに進出するなど、高度な垂直統合（企業が商品の開発・生産・販売を自社で一手に行うこと）を推進してきました。たとえば、東京ディズニーリゾートのレストランで使用する野菜や果物の一部は専用農園で栽培されています。同社はライセンス契約に基づく運営が得意なのに、自らはビジネスを所有する戦略をとるのは矛盾していないか。

これらの3つのテーマを議論するにあたって核となるのは「所有の是非」という問題です。企業があるビジネスから最大限の価値を創造するのに、そのビジネスを所有する必要があるか――一見簡単な質問のように見えますが、実際のビジネスでは難しい問題なのです。この問題について深く考察したことで知られるのが、経済学者のロナルド・コース*2とオリバー・ウィリアムソン*3です。いずれも取引費用の研究で、コースは1991年、ウィリアムソンは2009年にノーベル経済学賞を受賞しました。

所有の是非を考える上では（1）予測不能な事態が発生する可能性、（2）関係特殊投資（当事者間にとっては有益だが、その他の取引では価値がないような投資）がネガティブに働く可能性、の2つを考慮する必要があります。

ディズニーにとっては、所有するよりも高い利益が見込めるような条件で契約を締結できれば、所有するよりもアウトソーシングが望ましいでしょうが、仮に契約締結時に予測できなかった事象が発生した場合、どちらの会社が何をするべきか、あるいは、どちらの会社がどれだけ費用を負担すべきか、といった問題でもめることになります。つまりアウトソーシング契約は追加のコストと時間がかかるのです。

一方、株式を50％超保有している子会社であれば、本社からのトップダウンで方向性を決めることができますから、予測不能な事態が起きても、より早く、迅速に動くことができます。ですからパンデミックのような予測不能な事態が数多く起きそうな場合は、所有していたほうが望ましいということになります。

さらには関係特殊投資の観点から見ても、所有が好ましいという結論になります。たとえばオリエンタルランドがキャストの教育に投資したとしましょう。この投資はディズニーとのビジネスのみに価値をもたらすもので、ディズニー以外の会社とビジネスを展開する上では全く価値がありません。ディズニーのテーマパークのために教育したキャストを他社のテーマパークに派遣することなどできないからです。

また関係特殊投資を行っている2社間で、ホールドアップ問題（契約の不備につけこんで、当事者が互いに無理難題を押し付け合う問題）[*4]が生じる恐れもあります。「ホールドアップ」を宣告される可能性があることがわかっていれば、双方ともに投資を控えるでしょう。これが過小投資につながり、2社が本来創出できる利益を創出できなくなります。

独自の戦略で成功する東京ディズニーリゾート

学生の中には、ディズニーランド・パリ（注：東京ディズニーリゾートと同じライセンス方式を採用したがうまくいかず、2017年ディズニーが運営会社を買収）と比較して、「日本の伝統的な文化や日本企業の経営手法が、東京ディズニーリゾートの成功の一因ではないか」と分析していた学生もいました。

経済理論から考えれば、ディズニーランド・パリのように、ディズニーがオリエンタルランドを所有するほうが望ましいのですが、東京ディズニーリゾートの運営においてはそれがあてはまらないことを示しています。私自身は、両社が強い信頼関係を築いてきたことが重要な成功要因の一つだと見ています。契約書に定められていないことが生じても、話し合いで効率的に解決できるような信頼関係があったからこそ、この方式が維持できているのだと。いずれにしても、オリエンタルランドの事例はどの授業でも好評を博したので、次回は選択授業「ビジネスモデル戦略」で1セッションまるごと使って教えたいと思っています。

オリエンタルランドはコロナに勝てるか

オリエンタルランドの2021年3月期連結決算は売上高1705億円、営業損失459億円、純損失541億円で、通期としては1996年の上場以来、初の赤字を記録しました。パンデミックの影響で東京ディズニーリゾートは臨時休園を余儀なくされましたし、世界経済全体がマイナス成長だったのですから、オリエンタルランドが赤字を記録しても驚きではありません。同社のコア事業はテーマパークとホテルの運営であり、いずれも新型コロナウイルスの感染拡大による打撃を強く受ける対人接触型サービスを基本としています。こうした事業の特性と企業規模を考えれば、この結果はそれほど悪いものではないと思います。

2020年4月から翌年3月までの入園者数は前年比73・9％減の756万人で、開園以来、過去最低を記録しましたが、パンデミック下で756万人ものゲストを迎えられたのは、逆に驚くべき功績です。

オリエンタルランドの強みは、安全・安心、高品質なサービスを提供することができる従業員、働きがいのある職場環境、ビジネスパートナーとの信頼関係、新しいアトラクションやイベントの遂行能力などでしょう。これらは他の企業が決して真似できない、独自の戦略的資産です。開園以来、オリエンタルランドは、これらの強みを生かしながら、ディズニーとのライセンス契約のもと、緻密に立案された戦略を実行してきました。人材の採用と育成、ホテル事業とテーマパーク事業間のシナジーの創出、アトラクションのリニューアル、戦略的な宣伝キャンペーン・プロモーションなどを効果的に実施し、東京ディズニーリゾートでのゲストの体験を価値あるものにしてきました。

通常の経済環境であれば、こうした成功戦略を変更することはマイナスに働きます。「いま成功している戦略」は、「これまでうまくいった戦略の結集」でもあるからです。ですから平時に戦略を変えるのはとても難しいのです。

ところがいまパンデミック下でオリエンタルランドは重要な戦略の見直しを迫られて

います。新しい環境に応じた戦略が必要ですが、開園以来、何十年と成功しつづけてきた戦略を見直すのは、容易ではありません。戦略を柔軟に変更していけるかが今後の課題になってくると思います。

３つの戦略の見直しでパンデミックを乗り切れる

ただし、私はこの危機はオリエンタルランドにとってチャンスになりうると感じています。特に次の３つの戦略を見直す機会にすれば、パンデミック後のさらなる成長につながっていくと思います。

まず1つめは価格戦略の見直しです。テーマパーク事業にとって、顧客数と顧客満足度のバランスをとることは不可欠です。入園者数が増えれば増えるほど、チケット収入は増えますが、増えすぎるとパーク内は混雑し、アトラクションでもレストランでも待ち時間が長くなり、顧客満足度の低下につながります。２０１９年4月から２０２０年3月までの1年間の入園者数は２９００万人でしたが、パンデミック下で激減したのはすでに述べた通りです。ここで見るべきなのは、入園者数とゲスト１人あたりの売上高の相関関係です。入園者数が少なければ、並ぶ時間などが削られ、1人のゲストがよりパークを楽しむことができるため、1人あたりの売上高は増加します（注：2020年度のゲスト1人あたりの売上高は1万3642円で上場以来最高金額を記録）。*5 2021年3月から東京ディズニーリゾートはチケットの変動価格制を導入していますが、こうしたデータをきっちり測定し、平時に戻ったときの価格戦略に役立てることです。

2つめはディズニーとの契約内容の見直しです。これまでオリエンタルランドはディズニーと非常に良い関係を築いてきました。その基本となってきたのが長期契約です。この契約は、オリエンタルランドにあまり裁量権を与えていない内容になっていると推測します。ディズニーにとって大切なのは、国や運営会社にかかわらず、ディズニーブランドを冠した施設でゲストが一貫して高品質の体験ができるようにすることです。ですから運営会社との契約書には詳細にルールが設定してあると思います。

ところが、テーマパークの運営は複雑ですから、優秀な弁護士がいくら細かくルールを決めていても、不測の事態は起こりえます。特にパンデミックのような事態は想定していなかったはずです。パンデミックは両社に契約内容を見直す必要性を実感させたのではないでしょうか。今後もこのような危機は十分に起こりえます。その際に迅速かつ適切に対応できるよう、オリエンタルランド側により裁量権をもたせるような契約（不完備契約）にしておく必要があると考えます。

3つめは戦略立案プロセスの見直しです。前回の中期経営計画では「より高い満足度を伴ったパーク体験の提供」を目指していく中で、「入園者数過去最高」、「営業キャッシュ・フロー過去最高」を2020年度に達成することを目標としていました。これらは平時の経済環境を前提とすれば極めて合理的な戦略だといえます。ところが現在のような状況で「入園者数過去最高」、「営業キャッシュ・フロー過去最高」を実現するのは不可能です。

もちろん、新型コロナウイルスの感染拡大の影響で経営計画の見直しを迫られたのはオリエンタルランドだけではありません。今後、すべての企業は将来の経営計画を複数用意しておく必要があります。

ビジネスリーダーにとって現在の状況は、従来の安全地帯から脱して、新しい事業やオペレーションを考える機会になると思います。複数のシナリオを考えることは、凝り固まった思考を解放し、思いもよらぬ戦略や事業をひらめくことにもつながります。

従業員の雇用を守る戦略は正しい

解雇や一時解雇を進めるアメリカのテーマパーク運営会社とは対照的に、オリエンタルランドは雇用を維持する方針をとっていますが、私はこの戦略は正しいと思います。オリエンタルランドのビジネスにおいては、顧客体験の質が最も大きく業績に影響します。その質は現場で働く従業員の力にかかっているのです。建造物、アトラクション、それらを動かすコンピューターがあるだけではテーマパークの運営はできません。

パンデミックが起こる前から同社はキャストの教育に力を入れてきました。2018年には準社員（アルバイト）および出演者向けの教育プログラム「OLCキャリア・カレッジ」を開設し、2020年には「テーマパークオペレーション社員」という新たな雇用区分を設け、現場のキャストが正社員として長期的に活躍できる機会を提供しています。

パンデミック下でオリエンタルランドは報酬の減額と配置転換などを実施し、できるかぎり雇用を守る方針を明確にしました。それはつまり、コロナ禍で限られたリソースを「人材」のために優先して使うということです。いま、オリエンタルランドは苦しい状況にありますが、経済活動が平常化したときにこの戦略が生きてくるのは間違いありません。これは先を見越した称賛すべき人事戦略だと思います。

2030年の展望　4つの分野で変化が加速する

現在、世界経済のあらゆる分野で変化が加速していますが、私が特に注目しているのは次の4つの変化です。

まず1つめがリモートワークとリモート学習の増大です。ウェブ会議システムが急速に普及し、オンラインで会議を行うことが日常となりました。ここで重要なのは、ウェブ会議は対面で行う仕事に完全に取って代わるものではなく、補完する役割を果たしていることです。

2つめが脱グローバル化とリショアリング（外国へ移した生産拠点を国内へ戻すこと）です。多くのグローバル企業では、新型コロナウイルスの感染拡大による移動・物流の制限により、サプライチェーンの国内回帰が進んでいます。リショアリングの動きは、これからも続いていくでしょう。

3つめが産業再編です。パンデミックのような甚大なリスクに対応するために、今後、産業界では弱肉強食の傾向が強まることが予測されます。大企業はさらに強くなり、中小企業は大企業に飲み込まれたり、淘汰されたりする可能性が高まります。特に対人接触型のビジネスは減少し、Eコマース市場が拡大していくでしょう。

4つめがデジタルトランスフォーメーション（DX）です。パンデミック下でデジタル化がより高い限界便益（製品を1つ生産するごとに得られる便益）をもたらすことが実証されました。企業にとってはDXを推進する根拠が明白となったため、今後はデジタル投資が増えていくことが予想されます。

一方でパンデミックは、既存の変化の加速だけではなく、将来の経済活動に長期間にわたって影響を与えそうな新たなトレンドも生み出しつつあります。たとえば国外への旅行や出張の減少、投資家の国内回帰、ナショナリズムの高まりなどです。

前例主義から脱却せよ

未来を見据えるビジネスリーダーの皆さんに私が推奨するのは、まずパンデミックが、自社が属する産業全体にどのような影響をあたえているかを分析し、その上で、今後10年間の変化を予測していくことです。たとえば次のような質問をもとに、トレンドを予測していくのがよいでしょう。

・現在の経済動向はいつまで継続しそうか。
・現在の市場の成長要因は何か。成長の阻害要因は何か。
・パンデミック下で最も恩恵を受けている産業は何か。打撃を受けている産業は何か。
・この危機を価値創出の機会にするにはどうしたらよいか。

現在のような有事下において、経済動向を分析する際には、産業別に分けて考えることが大切です。打撃を受けている産業だけではなく、逆に恩恵を受けている産業もあるからです。

短期的には、ＰＣＲ検査会社、ワクチンや薬を開発する製薬会社、将来の感染拡大を抑制するためのインフラを構築する企業などが成長していくでしょう。

中長期的には、ウェブ会議、サイバーセキュリティー、遠隔医療、バーチャルリアリティー、物流、フィンテック、ホームオフィス向けテクノロジー、ホームオフィス家具、などの業種が成長していくでしょう。これらはパンデミックの恩恵を受けた産業です。

一方で、対人接触型のビジネスを営んでいる企業は当面、高いリスクにさらされることが想定されます。伝統的な小売業（デパート、モール）、エンターテインメント（テーマパーク、劇場、映画、スポーツ）、ホスピタリティ、旅行、教育などの産業に属する企業では戦略の再構築が必要になってくると思います。

この状況下で、ビジネスリーダーに伝えたいのは次のメッセージです。

・既存のビジネスモデルとは違った手法で価値を創造することを恐れないこと。
・過去の競争優位性を築いてきた資産（有形／無形）を生かすことを前提に、競争戦略を根本的に見直すこと。

不確実性の高い世界においては、未来を一つ一つ予測し、それに対応する計画を立てることはもはや不可能です。この世界で企業が成長していくには、相応の組織能力を身につけておく必要があります。

まず、企業はいつ何時でも柔軟に戦略を変更できるようにすることです。目標達成年を設けない戦略があってもよいのです。むしろ必要に応じて戦略をすぐに見直せる体制をつくっておくべきです。

通常、企業の経営計画は前例主義で立案されます。これまでやってきたことを前提として、来年はここを伸ばしましょう、ここを改善しましょう、と目標を立てていくのが一般的ですが、パンデミックがおこるような予測不能な世界においては、戦略も状況に応じて変更していかなくてはなりません。

また部分最適ではなく、全体最適で考えることも大切です。戦略を立案する上で大事なのは、全社の競争優位性を明確に理解することです。既存の戦略的資産をもとに、どうやったら新たな競争優位性を築けるかを考えていくのです。

今後、ビジネスリーダーは、既存のコアビジネスの延長線上ではなく、全く新しい視点からビジネスを発想していかなければなりません。そして企業にとって大切なのは社内に新規事業の候補をいくつも用意しておくことです。いますぐにはビジネスにならなくとも、事前に候補として考えておけば、ニーズが出てきたときにすぐに対応することができます。こうしたアイデアは将来、必ず役に立ちます。

日本企業の事例が深い学びをもたらす

日本はパンデミック前から世界に多大な貢献をしてきました。日本は世界第3位の経済大国として、多くの発展途上国を資金面、技術面から支援してきましたし、世界に先駆けて優れたテクノロジー、イノベーション、アイデアを創出してきました。日本企業が生み出す高品質で洗練された製品が、いまも世界中の人々に愛用されているのは言うまでもありません。さらには、建築、文学など、文化面においても、日本は世界に大きな影響を与えてきました。日本がこれからも国際社会にとって最重要国の一つであることに変わりはありません。

私たちハーバード大学経営大学院の教員は、ビジネス、戦略、イノベーションの分野でも日本から学ぶべきことがもっとあると感じています。そのためにも日本企業は私たちにもっと情報を提供してもらえないでしょうか。成功談だけではなく、成功に至るまでの苦悩も伝えていただければ、世界中のビジネスリーダーが深い学びを得ることができます。オリエンタルランドの教材はその第一歩だと考えています。これを機に日本企業の事例を取り上げた教材が増えていくことを期待しています。

（２０２１年6月26日インタビュー）

第8章

社内に眠る能力を結集すれば「集合天才」を生み出せる

©Susan Young

Linda A. Hill

リンダ・ヒル

リンダ・ヒル　Linda A. Hill

ハーバード大学経営大学院教授。専門は経営管理。同校のリーダーシップ部門長。エグゼクティブ講座の数多くのプログラムで主任を務める。三菱商事、セールスフォース、GE、アクセンチュア、ファイザー、IBM、マスターカード、モルガン・スタンレーなど、大企業のコンサルタントとしても活躍。主なコンサルティング・エグゼクティブ研修のテーマは、リーダーシップ開発、タレントマネジメント、イノベーションと変革を主導するリーダーシップ、国際戦略、組織横断マネジメント。主著に『ハーバード流　逆転のリーダーシップ』『ハーバード流ボス養成講座―優れたリーダーの３要素』（共に共著、日本経済新聞出版社）。

ハーバードの教材になったＡＮＡの新事業

ボストンからアジア各国へ行く際には、たいていＡＮＡを利用しています。というのも、優れたサービスが気に入っているからです。特に印象的だったのはボーイング787型機の就航がはじまった直後に搭乗した際、キャビンアテンダントが就航記念のプラモデルをプレゼントしてくれたことです。飛行機が大好きな息子は大喜びで、そのプラモデルはいまでも家の中に飾ってあります。搭乗するたびに、その卓越したサービスに感銘を受け、どのような経営を行えばこのようなサービスを提供できるのか、ずっと興味を持っていました。

ＡＮＡホールディングス（以下、ＡＮＡ）の子会社である avatarin（以下、アバターイン）の深堀昂《ふかぼりあきら》ＣＥＯにはじめて会ったのは、２０１９年に富士通が主催した経営者フォーラムでした。彼はパネリストの一人として登壇し、当時ＡＮＡ社内の新規プロジェクトの一つだったアバター事業（遠隔操作ロボット＝アバターを活用した事業）について説明してくれました。

私はこのプロジェクトに好奇心をそそられ、終了後の懇親会ですぐさま彼のところに行き「もっとあなたのプロジェクトについて教えて」と取材を依頼しました。それから関係者への取材を重ね、2021年6月、ハーバード大学経営大学院の教材として出版したのです。それほどアバターインの事例は私の現在の研究テーマにぴったりあう事例でした。

私は長らく「集合天才」(Collective Genius＝イノベーションを創出するために、組織のメンバーの個々の才能を結集させること)をテーマに、継続してイノベーションを創出する企業文化や組織能力をもつ企業の事例や、そうした企業の経営者やリーダーの事例を研究してきました。その研究成果をまとめたのが『ハーバード流　逆転のリーダーシップ』です。

この本の出版後、新たに興味をもったのは、「スケーリング・ジーニアス」(Scaling Genius)、つまりいかにして「集合天才」の規模を大きくしていくか、という点です。そこで自社をより素早く変化に対応できるような組織に変えようとしているリーダーや、イノベーションを推進するためのエコシステム(連携する企業群)を構築しようとしている企業についてのデータを集め始めたのです。たとえば大手メディア企業のコムキャスト・ＮＢＣユニバーサルはアトランタにスタートアップ企業を支援するイノベーション創出拠点「ザ・ファーム」を新設しました。その目的は、多様なスタートアップ人材から、これまでにない才能を取り込み、グループ全体の「集合天才」を拡大していくことです。

ＡＮＡもまた、より革新的、かつ、変化に迅速に対応できる組織になるために、これまでとは違う経営戦略を実施しようとしていました。コムキャスト・ＮＢＣユニバーサルと同様に社内にイノベーション創出部門を新設。この部門を拠点に、モビリティビジネスなど新規ビジネスの開発を推進すると同時に、社員の起業家精神を刺激し、企業文化を変革しようとしていました。

このイノベーション創出部門から生まれたのがアバターインでした（２０２０年４月分社化）。そしてこれは、ハーバード大学経営大学院の教材、授業、そして私の次の著書にもぴったりの題材だと思ったのです。

あなたなら新規事業に投資しますか

2021年秋以降、「イノベーションを創出する企業文化の主導と構築」「経営者養成プログラム」などのエグゼクティブ講座で早速、アバターインのケース[*1]を取り上げたいと思っていますが、反応が楽しみです。ハーバードの同僚などと話すと、「航空会社のANAがアバター？」と不思議がられますから、おそらく受講者からも同じような反応が返ってくると思います。

議論の主題は「あなたがANAホールディングスの経営者だったら、アバター事業に投資しますか。もし投資するとしたら、その理由は何ですか」。もちろん最初に確認しなければならないのは経済的リターンです。この投資から経済的なリターンを得るには長い時間がかかるはずです。ほかには、特に次の3つの点に注目して議論してもらいたいと思います。

1つめがビジネスポートフォリオです。アバターインは、ANAのコア事業が抱える問題解決にどのように役立つのか。ANA全社のポートフォリオにどのように貢献するのか。

２つめがテクノロジーです。アバターインはどのような新しいテクノロジーをＡＮＡにもたらし、ＡＮＡ全社の技術力や技術イノベーションに貢献するのか。

３つめが企業文化です。アバターインはどのように起業家精神にあふれた社風を創出するのに貢献するのか。

まず１つめのポートフォリオについてですが、新型コロナウイルスの感染拡大の影響をみても明らかなとおり、航空事業は起伏が大きく、外部環境の変化に対して脆弱なビジネスです。ＡＮＡが今後さらに成長していくには、季節性や外部要因に左右されない、安定的なビジネスを創出する必要があります。すぐには利益があがらなくとも、長期的な視点から新規ビジネスに投資することが不可欠なのです。

２つめのテクノロジーは、ＡＮＡが今後、ポートフォリオを変革していくにあたって核となるものです。航空事業だけではなくモビリティ事業、宇宙事業においても常に最先端の技術力を維持しておく必要があります。

３つめの企業文化については、ＡＮＡは大胆にリスクをとり、画期的なイノベーションを創出しようとするリーダーを応援するような社風に変えていこうとしています。社員に「あんな野心的なビジネスもＡＮＡの社内で実現できるのか」と思ってもらうためにも、新たな企業文化の象徴となるようなプロジェクトや組織を社内につくることが必要です。

アバタービジネスの事業化および子会社アバターインの設立は、ＡＮＡの抱える３つの課題解決にどう役立つのか。授業で議論していきたいと思います。

大企業で新規事業を創出するにはトップの支援が不可欠である

授業では「アバターインはベンチャーキャピタルから投資を得て、ＡＮＡとは別の組織としてスタートしたほうがよいのではないか」と主張する人もでてくるかもしれませんね。そのほうが早く、事業化できると。確かにアバターインは会社設立までに約４年かかっていますが、その年数は他のＩＴ企業と比べても特段長いとは言えないと思います。アマゾン・ドット・コムやグーグルも、現在のような形になるにはそれなりの時間がかかっています。

また、私が関係者を取材してわかったのは、ＡＮＡの子会社であることがアバターインに多くの恩恵をもたらしているということです。特に威力を発揮するのが、他の企業や政府と協力関係を結ぶときです。アバター事業は外部のパートナーとの連携が不可欠なビジネスですが、その際にＡＮＡが築き上げてきた信用力がものをいうのです。小さなスタートアップ企業の創業者が、日本の大企業に協業をもちかけても、「どちらさまでしょうか」といった反応が返ってくるのが関の山でしょう。しかし、ＡＮＡの子会社の経営者が、「ＡＮＡと一緒にビジネスをしませんか」と提案すれば、相手は真剣に話を聞くはずです。

それだけではありません。アバターインはＡＮＡ本社の専門知識を生かすこともできます。ＡＮＡのもつグローバル物流の知識や、フリートマネジメント（需要動向に応じて収入を最大化、費用を最小化するために柔軟に航空機を運用する管理手法）の知識を学べることは、他の企業や政府機関にとっても魅力的です。こうした知識を求めて多くのパートナーがこの事業に参加し、プラットフォームづくりに協力してくれることでしょう。

ＡＮＡホールディングスの片野坂真哉社長にインタビューして驚いたのは、社長自ら若い社員に会って、新しいアイデアに耳を傾けていた点です。片野坂社長は、若手社員と直接コミュニケーションをとることをいとわない、開放的で、未来志向の経営者だと感じました。また、同様にインタビューした津田佳明氏（グループ経営戦略室経営企画部長）は社長と若手社員をつなぐ上で重要な役割を果たしたと思います。

大企業で若手社員が新規事業を創出するには、上司や経営者からの支援が欠かせません。両者の支援がなければ、アバターインを創業できなかったかもしれません。

コロナ危機でも投資をやめなかったANA

ANAがアバターインを設立した2020年4月には、すでに新型コロナウイルスの感染拡大が始まっていて、同社の航空事業は大きな打撃を受けていました。

以前から社内には、アバターイン設立の経済合理性について懐疑的だった人もいたと聞いています。アバター事業が本当に長期的にはリターンをもたらすのか、不安に感じるのも無理もありません。しかしANAはアバターインへの出資をやめませんでした。

片野坂社長をはじめとするANAの経営陣は勇気ある決断をしたと思います。他の会社の経営者であれば、「このような危機下でリスクの高い子会社の設立だって？　一体何を考えているんだ。いまは一銭だって無駄にできないのに」と反対したかもしれません。

しかし結果的にパンデミックはアバターインにとってビジネスチャンスとなりました。人々の移動が制限されたことで、バーチャル旅行へのニーズが高まり、博物館、水族館などから問い合わせが相次いだのです。

ハーバードの同僚の研究によれば、経済危機後に売上と利益を伸ばすのは、危機の最中に必要なコストカットと新規事業への投資をバランスよく行った企業だそうです。[*2]つまり過度に投資を控えた企業よりも、あえて適切な投資を実施した企業のほうが、危機を脱した後により大きく成長するということです。

イノベーションは単なる「創出」で終わってはいけない

長い歴史を持つ大企業の多くは、「イノベーションのジレンマ」[*3]（優良企業が既存顧客のニーズを満たすためのイノベーションに注力した結果、破壊的な技術をもつ新興企業に負けてしまうこと）に直面します。このジレンマの解決法としてよく知られているのが「両利きの経営」（既存事業の深化と新規事業の探索を同時に行う経営手法）です。多くの大企業は、既存事業の中で画期的なイノベーションを起こすのはもはや困難であることを実感しています。そこで、既存事業部門とは全く別の新規事業開発部門を設けたり、子会社をつくったりすることによって、何とかして革新的なイノベーションを創出しようとしているのです。この「両利きの経営」はいま大企業で広く採用されている経営戦略です。

ＡＮＡもまた「両利きの経営」を実践しています。コアビジネスである航空事業に注力すると同時に、社内に「ＡＮＡバーチャルハリウッド」「デジタル・デザイン・ラボ」といった実験場を設け、新規事業の探索を行っています。

「ＡＮＡバーチャルハリウッド」は主に業務時間外に行う社会貢献プログラムで、「デジタル・デザイン・ラボ」は事業化を念頭においた部門です。同部門では最先端のデジタル技術を開発したり、活用したりすることによって破壊的イノベーションを生み出し、最終的には会社に利益をもたらす事業を創出することが期待されています。

では、大企業でそのようなイノベーションを起こすには何が必要か。

『イノベーションのジレンマ』の著者、クレイトン・クリステンセン[*4]や『両利きの経営』の共著者、マイケル・タッシュマンなど、この分野の第一人者は、「新たな部門をつくって、そこでイノベーションを創出するべきだ」と提唱しています。先ほども述べたとおり、これは多くの大企業にすでに浸透している考え方で、イノベーション戦略の本を読めば、たいていそのように書いてあります。[*5]

アバター事業のような革新的なビジネスを、ＡＮＡの航空事業の中に組み込むことが難しいのは明らかです。あまりにも事業の性質が違いすぎます。ですから「既存事業の構造やプロセスからは切り離された、全く新たな部門を設立して、そこを拠点に破壊的イノベーションを創出していく必要性がある」という考えに異論はありません。しかし問題は、こうした部門で開発された新たな製品、サービス、ビジネスモデルが、ほとんどの場合、スケールアップできずに終わることです。往々にして「創出」で終わってしまい、会社の売上を大きく増加させるほどの規模にまで育っていかないのです。

経営学の理論では、これらのイノベーション創出部門が、新規ビジネスの創出を加速させ、新たな組織能力をもたらし、その組織能力が全社へと広がり、会社全体への成長へとつながることになっています。本来であれば新規部門が開発したイノベーションは、やがて既存事業に組み込まれて、会社のコアビジネスへと育っていかなくてはならないのです。

ところが現実には、多くの場合、新規事業部門は、既存の事業部門と完全に切り離された存在であるがゆえに、シナジーが創出できないでいます。そこで私がいま研究しているのは、どのようにしたら、イノベーション創出部門の知見、技術、ビジネスパートナーなどを既存事業に生かせるのか、という点です。

アバターインはANAの信用力を生かして、JAXA（宇宙航空研究開発機構）、XPRIZE財団、大分県など、協業先を次々に開拓し、ANA本体はアバターインの提携企業から、宇宙、モビリティ分野の最先端知識を獲得しています。親会社は子会社であるスタートアップ企業に組織能力を提供し、スタートアップ企業は情熱・スピード・開発能力を親会社に提供する。このような相乗効果が得られれば、双方にとってプラスとなります。

社内に眠る能力から「集合天才」を形成する

経営者はしばしば「自社にはイノベーションを創出する能力が不足している」と考え

がちですが、実際、社内に能力は豊富にあるのです。あらゆる部門、あらゆる社員の中に才能が眠っています。社員の情熱や創造性を引き出し、個々の才能を生かす環境をつくれば、社内に大きな「集合天才」を形成することができます。さらに、必要な才能のすべてが社内にあるとは限りません。とてつもなく野心的な事業を創出したいと思えば、取引先を巻き込み、エコシステムをつくり、そこに「集合天才」を形成してもよいのです。

アバターインの事例で言えば、ＣＥＯの深堀氏と、ＣＯＯ（最高執行責任者）の梶谷ケビン氏の組み合わせもいわゆる「集合天才」を形成したと思います。これまで数々の「集合天才」の事例を研究してきましたが、彼らの発想は他の「集合天才」の発想ととても似ていると思います。

アバターインは野心的で巨大なビジョンを掲げていますから、目的を実現するまでには長い時間がかかるでしょう。しかし私が心から共感するのは、彼らがパーパス（企業の存在目的）を何よりも重視していることです。彼らは当初から社会課題の解決と利益の創出を両立できる事業を創出することを目的としていました。すべては「一部の限られた人にしか利用できなかったロボットを、多くの人々が安心して手軽に利用できるようにしたい」という思いから、はじまっているのです。

企業が社会課題を解決し、持続可能なビジネスを創出するためには、社内の「集合天才」をスケールアップしていかなければなりません。どうすれば、一人の天才から「集合天才」へ、そしてその「集合天才」をさらに大きな「集合天才」へと拡大させていけるのか。そして「集合天才」が見つけたビジネスの種をどのように育てていくのか。これらは企業にとって永遠の課題です。社内で新規ビジネスのアイデアを事業化できても、その事業を国内市場、海外市場へと広げていくのは至難の業なのです。

私はアバターインのケースを通じて、ハーバードの学生やエグゼクティブ講座の受講者に、社内に眠る才能を違った形で生かすことができれば、想像以上に早く、大きく、「集合天才」の規模を拡大することができることを伝えたいと思います。社内に深堀氏や梶谷氏のような人材がいれば、経営者はどうしたら彼らの才能を開花させ、彼らがやりたいプロジェクトを実現できるかを考えるべきです。このようなプロジェクトが社内に多数生まれれば、やがて世界を変えるような大きなイノベーションを創出することができるでしょう。

今後、アバターインの事例を様々な授業で教えていこうと考えていますが、その際には、ぜひ深堀氏と梶谷氏をゲストスピーカーとして招きたいと思っています。ハーバードの学生たちは、彼らの情熱と行動力にきっと感銘をうけることでしょう。

リモートワークだけではイノベーションを創出できない

いま、パンデミック下で人々の間に新たなニーズが次々に生まれています。企業は、社員や顧客の要望が変わってきていることに、細心の注意を払わなくてはなりません。たとえばオンラインで買い物をすることが日常的になる中、顧客は実店舗に対しても配送やデリバリーなどのサービスを期待するようになっています。こうしたニーズの変化に対応するには、顧客の声により注意深く耳を傾けなくてはなりません。

ある経営者は「いまは顧客にモノを売る時期ではない。顧客に尽くし、顧客からの信頼を得るべきときだ」と述べていました。たとえ顧客の支払いが遅れたとしても、そこはお互いに助け合い、平時に戻ったときにそなえて、むしろ信頼関係を強化すべきときなのです。

社員のニーズも変わってきています。多くの経営者は社員の仕事に対する考え方が変わってきていることや、世代間で仕事に対する価値観に違いが出てきていることに気づいていません。

いまアメリカの大企業も中小企業も、優秀な人材の採用と確保に苦労しています。パンデミック前に働いていた職場に戻りたがらない人が増えているからです。人々はコロナ禍で、人生があまりにも短いことに気づきはじめています。不快な仕事をしたり、やりがいのない仕事をしたりする時間などないのです。経営者は社員がどのような働き方をもとめているのかを理解し、社内環境、仕事の内容を再構築していく必要があります。

新型コロナウイルスの感染拡大を機にデジタルトランスフォーメーションが驚異的なスピードで加速していて、対面サービス以外のたいていの仕事はリモートで行うことが可能になりました。しかし多くの経営者は社員が出社することを望んでいます。なぜならリモートワークでは部門を越えた協力体制を築いたり、一体感のある企業文化を維持したりすることが難しいからです。外部変化に素早く対応し、迅速にイノベーションを創出するためにも、物理的に顔を合わせることが必要なのです。

２０３０年の展望　ウイルスと共存する社会が訪れる

新型コロナウイルスは簡単に終息しません。ウイルスとの戦いは、短距離走ではなく、マラソンなのです。人類はウイルスと共存する生活様式を学んでいかなくてはなりません。

アメリカでは格差が顕在化し、大きな問題となっています。パンデミック下で社会も経済も打撃を受け、人々は政治的なリーダーやビジネスリーダーに厳しい目を向けています。

またアメリカの公衆衛生システムが十分に機能していないことも明らかになりました。新型コロナウイルスの感染拡大がはじまった当初、ボストンのバイオテック企業などは、職場の安全を守るために自らＰＣＲ検査をはじめたほどです。

一方で前向きな動きもあります。その一つが、より多くの人々が民間企業と政府の連携の必要性を実感していることです。これまで民間企業の社員も役員も、政府との協業を嫌がる傾向にありましたが、これは民間企業の成長のためにも大切なことなのです。

たとえば、インフラ整備、教育、公衆衛生、プライバシーの保護などの分野で社会に貢献するビジネスを成長させていくには、政府との連携は不可欠です。

このような状況下で、今後ビジネスリーダーが頭に留めておくべきキーワードは「アジリティー」（変化に素早く対応すること）です。ある経営者は私に次のように述べていました。「新型コロナウイルスの感染拡大が続く中、企業を経営するのは、霧の中を進んでいくようなものだ。コロナ前は、トップダウンで経営することが正しいと考えていたが、いまは、社員にやる気を出してもらうことこそが私の仕事だと思っている」

この経営者は、パンデミック下で次々に起こってくる問題を解決していく中で、現場の社員の力を結集させることがいかに大切かを実感したのです。

ではどのようにしたら、私たちは変化に素早く対応できるようになるのでしょうか。

まずは「平時のビジネス」はもはや存在しないことを前提に物事を考えなくてはなりません。どのような未来が待ち受けているかはわからなくとも、環境の変化に柔軟に適応しながら、前に進んでいくことが必要です。

コロナ後に向けて日本から学ぶべきこと

私たちが日本から学べることは数多くあると考えています。

１つめが、カスタマーエクスペリエンス（顧客体験）です。たとえば日本の小売店で買い物をしてみてください。細部へのこだわりや美意識が、製品やサービスだけではなく、店での体験すべてに反映されていることがわかるでしょう。

現在、多くのグローバル企業がより人間性を重視したカスタマーサービスを提供しようと様々な取り組みをしていますが、私はこうした企業の経営者から助言を求められるたびに、「とにかく日本を訪問して、様々な店舗をまわってみてください。そうすれば優れた顧客体験とは何かがよくわかります」と伝えています。それほど日本の店舗には学びがつまっているのです。

２つめがテクノロジーです。日本にはロボティクスのように圧倒的な優位性を持つ分野があります。今後10年間で、アバターロボットのようなものが日常的に使われるような社会が訪れれば、日本は多くの技術を提供することができるでしょう。

3つめが協調性です。日本企業は他の企業と激しい競争をするよりも、むしろ、協調しながらビジネスを成長させていくことが得意です。他の企業や政府と連携しながら、エコシステムを構築し、協業によって必要な組織能力を取り入れていくことは、これからの世界ではますます重要になってくるでしょう。

4つめが長期的な視点とパーパス志向です。これからのビジネスリーダーは、社会貢献と利益を両立させる事業を行っていかなくてはなりません。その前提となるのが長期的視点とパーパス志向なのです。技術革新が加速すればするほど、リーダーは「何のためにそのテクノロジーを利用するのか」を明確にしなければなりません。テクノロジーは、使い方によっては人間に害をもたらすこともあるからです。ジェネレーションZ（1990年代中盤から2000年代終盤までに生まれた世代）やミレニアル世代（1981年から1996年の間に生まれた世代）は、その上の世代よりもずっと社会意識が高く、企業の社会貢献に対して敏感です。今後はパーパス志向の企業が増えてくるはずです。日本企業には、長期的な視点で物事を考え、パーパスを重視する伝統があります。そこから私たちが学べることは多くあると思います。

科学技術が勝利するために

私がかつて評議員を務めていたロックフェラー財団は10年ほど前にすでに「来るべきパンデミックに備えておく必要がある」と警鐘を鳴らしていました。当時、財団は、課題解決に50年ぐらいかかるような大きな問題に着手しようとしていました。このような課題に挑むような民間企業はありませんから、そこに財団が貢献しようと考えたわけです。その中の一つがパンデミックでした。

財団の説明によれば、エボラ出血熱がパンデミックに発展しなかったのは、アフリカの貧しい地域で発生したからだそうです。貧しい人々は、お金のかかる移動は控え、その地域にとどまる傾向があります。その結果、疫病が広がらず、感染を抑え込むことができたのです。

一方、新型コロナウイルスの感染が拡大したのは、感染した人々が移動したからです。人々が移動する限り、拡大は止まりません。これからは毎年、予防注射をうち、インフルエンザのようにコロナと共存していかなければならないでしょう。一度発生したウイルスを完全に消滅させる方法を見出すのはとてつもなく困難なことです。より効果的なワクチンや治療薬をより早く開発したりすることはできるでしょうが、ウイルスそのものはなくなりません。とにかく科学技術を進展させるしかないのです。

先日、私が一緒に仕事をしているファイザーのチームがマスクを送ってきてくれました。そこにはこんな言葉が書いてありました。

“Science will win”（最後に科学が勝つ）――人類がウイルスに打ち勝つためにも、より一層、科学技術の進展に注力しなければなりません。

（2021年8月4日インタビュー）

第9章

危機下のリーダーに求められる「謙遜の精神」

©Evgenia Eliseeva

Amy C. Edmondson

エイミー・エドモンドソン

エイミー・エドモンドソン　Amy C. Edmondson

ハーバード大学経営大学院教授。専門はリーダーシップと経営管理。主な研究テーマはチームワーク、心理的安全性、組織学習。Thinkers50が選出する「世界で最も影響力のある経営思想家50人」の一人。多数の受賞歴があり2003年にはカミングス賞（米国経営学会）、2004年にはアクセンチュア賞を受賞。主な著書に『チームが機能するとはどういうことか――「学習力」と「実行力」を高める実践アプローチ』『恐れのない組織――「心理的安全性」が学習・イノベーション・成長をもたらす』（共に英治出版）。「心理的安全性」の提唱者として日本でも注目を集めている。

有事のリーダーに求められる透明性や謙虚さ

現在のような有事においては、とりわけリーダーシップが求められます。では、コロナ禍で優れたリーダーシップを発揮しているリーダーはいるか。これは難しい質問です。完璧な人間なんていませんから。ましてやパンデミックのような状況では、どれほど優れたリーダーでも失敗するのは当たり前でしょう。問題は、どれだけ謙虚にその状況に向き合い、透明性をもって情報を共有できるかだと思います。

そういう意味で、デルタ航空のエド・バスティアンＣＥＯの危機対応には感銘を受けました。新型コロナウイルスの感染拡大がはじまってまもなく、バスティアン氏は、社員に向けて、正直に会社の現状を示し、今後も苦しい状況が待ち受けていることを伝えました。バスティアン氏は、社員への情報開示の回数をあえて増やし、先行きが見えない状況でも、いまわかっている事実を伝え続けました。そしてともに耐えていきましょうと呼びかけました。バスティアン氏は有事において、謙虚で実直なリーダーシップを発揮したと思います。

米プロバスケットボール協会（NBA）のコミッショナー、アダム・シルバー氏も、パンデミック下で難しい決断を下し、迅速に行動したリーダーの一人です。2020年3月、選手や観客の安全を確保できないと判断したシルバー氏は、他のどのスポーツ団体よりも早く、レギュラーシーズンの中断を決断しました。彼は経済よりも、人々の安全を優先したのです。これもまた勇気ある決断だったと思います。

ニュージーランドのジャシンダ・アーダーン首相も、強力かつ実直なリーダーシップを示したリーダーです。アーダーン首相は2020年3月、感染者52人で「移動制限」、205人で「ロックダウン」（都市封鎖）を決断し、初期の段階での厳しい対応がその後の感染の抑制につながりました。

人間はあまりにも先が見えないと、直感的に「とりあえず成り行きを見守ろう」「もう少し情報を得るまで動くのを待とう」と考えてしまうものです。しかしながら、実際には人間の直感とは逆の行動をとらなくてはなりません。まず迅速に動く。そして、透明性をもってわかっていることを伝える。さらに新しい情報が入ったら伝える。この繰り返しが大切なのです。

優れたリーダーは自分がいま持ち合わせている情報だけではなく、「自分がわかっていないこと」さらには「不確実な状況の中で自分が何をやっているか」を伝えます。その上で、「いまは私とともに耐えてください。一緒に難局を乗り切りましょう」と人々に協力をよびかけるのです。

政治家としての利益を優先した発信は不信を買う

ではなぜ多くの政治的リーダーが、有事のコミュニケーションで失敗してしまうのでしょうか。

それは多くの場合、短期的思考で考えてしまうからです。

目の前の利益を優先して、あえて不快な話題を避け、良いことだけを話してしまうのは、極めて人間的な行為です。人間は直感的に、自分をよく見せたい、バラ色の未来を見せたい、と思ってしまうものなのです。悪いニュースや悪いデータには蓋をして「新型コロナウイルスは大したウイルスではありません。そのうち終息します」といえば、一時的に人気は高まります。ですから、その誘惑にかられるのも無理もありません。

２０２０年のアメリカではまさにそのような事例が見られました。パンデミックが発生した直後、トランプ大統領（当時）は科学的な根拠やデータもなしに「イースター（復活祭）までに、外出自粛などの規制を緩和し、経済活動を再開させたい」[*1]と発言しました。「国民はいまこういうことを聞きたいだろう」と思ったから、このような発言をしたのです。ところがイースターまでの期間に、感染者数は減るどころか、急増しました。

問題はその政治家が短期的な利益を優先するタイプなのか、あるいは長期的な利益を優先するタイプなのかです。トランプ前大統領のように「人気が落ちるのはいやだから、私はいまこの瞬間、国民からよく見られたい」と考えるか。あるいは「どれだけいま、非難されようとも、どれだけ国民にとって不快な内容であっても、勇気をもって真実を伝え、国民の協力を仰ごう」と考えるか。

長期的には、率直に悪いニュースを伝え、自分の過ちを認め、非難を受けたほうがプラスになると思います。「いまこの瞬間、良いニュースだけを伝える」は、短期的な人気にはプラスになるでしょうが、長期的にはマイナスになるでしょう。国民は結果的に「現状はこうです。厳しい現実が待ち構えています。しかし、私たちはベストをつくします。ともに乗り切りましょう」と真摯に伝えるリーダーを称賛し、支持するものです。

日本の政治家は「不都合な真実」と「希望」を同時に語るべき

日本でもワクチンの供給や東京オリンピックの開催を巡り、政府への批判が強まっているると聞きます。日本政府のリーダーにいま必要なのは「真実」を包み隠さず伝えることです。なぜこのような事態が起きているのか、この問題の解決のために政府は何をしているのか、といった国民の疑問に真摯に答えることです。

ここで大切なのは「真実」を開示したあとで「希望」を伝えることです。また真実を開示するときは自らの責任も明確にしなければなりません。その上で「いま政府はこのようなことをやっているので、このようによくなる」といった感じで良い兆しを伝えるのです。

政府が不都合な真実を隠していると、国民はすぐに察知してしまいます。それがさらに国民の政府に対する不信を招くのです。政治家にとって難しいことだとは理解していますが、「不都合な真実」と「希望」の両方を自信を持って伝えることが、結果的には政府への支持につながると思います。

ＶＵＣＡの時代には「心理的安全性」が重要になる

２０１８年に出版した著書『恐れのない組織――「心理的安全性」が学習・イノベーション・成長をもたらす』はすでに15の言語に翻訳されていますが、日本のみならず、スウェーデン、オランダ、ポーランド、ドイツなど、多くの国々の読者から反響がありました。いま、「心理的安全性」（気兼ねなく意見を述べることができる雰囲気[*2]）という概念がとりわけ注目されているのは、パンデミック下で世界中の人々が「不確実性の時代」の現実を実感しているからだと思います。

新型コロナウイルスの感染拡大がはじまるまでは、多くの人々が「この先もきっと今日のような日の繰り返しだろう」と考え、「目の前の仕事をひたすら頑張ればよいのだ」と思い込んでいました。しかしパンデミックが起こり、状況は一変しました。これからは、経験したこともないような新しい環境や先の見えない環境で、問題解決をしたり、新しいことに挑戦したりしなくてはなりません。まさにＶＵＣＡ（ブーカ＝Volatility 変動性、Uncertainty 不確実性、Complexity 複雑性、Ambiguity 曖昧性）の時代が到来したのです。

企業がＶＵＣＡの世界を生き抜くためには、肩書や職責にかかわらず、すべての従業員の意見に耳を傾ける姿勢が必須です。一般社員であっても、管理職であっても、とにかくすべての人の意見を取り入れることが不可欠なのです。いまは、誰が、どこで、会社に大きな利益をもたらすアイデアや改善案を思いつくかわからない時代です。パンデミック後の世界で成功するには、一人ひとりの社員のアイデアを広く取り入れることがますます重要になってきているのです。そして、あらゆる階層の人々の意見を吸い上げるためには、「心理的安全性」の創出が欠かせません。だからこそ「心理的安全性」が注目されているのだと思います。

健全な恐れと不健全な恐れを区別せよ

ところで「恐れのない組織」という表現については、誤解されることがあるので、ここであらためてその意味するところを説明させてください。

恐れには健全な恐れと不健全な恐れがありますが、私がこのタイトルで意味しているのは、不健全な恐れのことです。そもそも恐れを感じるのは人間の性質であり、パンデミック下で新型コロナウイルス感染症を恐れるのは自然なことです。ですから健全な恐れは抱いてよいのです。「身体的な危険をおかすことを恐れるな」とか「闇雲に挑戦せよ」といっているわけではありません。

一方、不健全な恐れとは、本来恐れなくてもよいのに恐れてしまうことです。いわば企業の生産性を低下させることにつながるような恐れです。

「恐れのない組織」とは、構成メンバーが対人的なリスクをとってもよいと感じられるような組織のことを意味します。あらゆるメンバーが、何でも正直に意見を言えて、行動できる、失敗も悪いニュースも恐れずに報告できる、そしてリーダーはオープンな姿勢でその意見を聞き入れる……こうした組織のことを「恐れのない組織」と定義しています。

心理的安全性が企業の業績を左右する

心理的安全性は次の3つの点において企業の業績に影響を与えます。

まず1つめはイノベーションの創出です。心理的安全性が高い環境下ではチームメンバーは躊躇なく様々な挑戦ができますから、イノベーションを生み出しやすいのです。新しいアイデアをどんどん発言できますし、練れていないアイデア、思いつきのようなアイデアであっても気軽に共有できます。こうした活動の蓄積は、翌年、翌々年、あるいはそれ以降の業績に影響してくるのです。ただしイノベーションは必ずしもすぐに会社の売上や利益に結びつくわけではありません。時には結果が出るまで10年以上かかることもあります。

新型コロナウイルスのワクチン開発は、優れたイノベーション事例だと思います。ファイザー、モデルナ、ジョンソン・エンド・ジョンソンといった会社は、驚くべきスピードで開発に成功しました。ワクチン開発の過程では、リスクをとって挑戦したり、お互いに正直に意見を言い合ったり、あるいは何度も試行錯誤を重ねたりしたはずです。これらのワクチンが心理的安全性の高い職場から生まれたことは間違いありません。ワクチンは心理的安全性の賜物でもあるのです。

2つめは品質管理と安全管理です。これは特に製造業において重要です。心理的安全性が確保されている職場では、不良品や事故が生じる前に、小さな誤差や問題の兆しをいち早く見つけることができます。兆しの段階で問題を把握するためには、現場の従業員の誰もが「はっきりとはわからないが、何かおかしいと感じること」に対して躊躇なく声をあげられるような雰囲気が必要です。たとえばトヨタ自動車の工場の従業員は、エラーや不具合をみつけたら、迷わずアンドンの紐を引き、関係者全員に知らせるでしょう。失敗や不具合を報告すれば、会社や上司から評価されると信じているからです。

そして3つめが不祥事やスキャンダルのリスク管理です。たとえばフォルクスワーゲンの「ディーゼルゲート」（排ガス不正問題）やウェルズ・ファーゴ銀行の不正営業問題などは、心理的安全性が十分に確保されていない環境から生じています。フォルクスワーゲンのエンジニアは、アメリカ合衆国連邦政府の大気浄化法をクリアするために、ディーゼル車に不正なソフトウェアを搭載しました。このソフトウェアは試験であることを自動検知し、試験時のみ有害物質の量が大幅に減るように設定されていました。

なぜ現場のエンジニアは誰も言い出せなかったのでしょうか。それを言い出せない雰囲気があったからです。真実が明るみに出たときに、会社は取り返しのつかないほど大きなダメージを受けました。心理的安全性がある職場であれば、もっと早く対処できたはずです。

トヨタの強さの背景にも心理的安全性

コロナ禍で、際立った収益力を見せているのがトヨタです。このトヨタの強さの背景にあるのが心理的安全性を創出する文化です。その象徴ともいえるのが、2020年5月の決算説明会での豊田章男社長のスピーチです。[*3] パンデミックのような苦境下でこれほど自社の課題について正直に話す経営者を見たことがありません。

まずスピーチの冒頭、2008年の世界金融危機前の好業績の要因の一つとして「為替の恩恵」を挙げています。「為替を除いた事業の収益構造は決して良くはありませんでした」とファクトに基づいた分析を率直に伝えています。「この時期の営業利益は伸びた」とだけ言うこともできたのに、為替要因に言及し、収益構造が不十分であったと認める。何と正直なのかと思いました。

次に2009年以降の4年間に行ったコストカットについては「体重を落としスリムにはなったものの、必要な筋肉まで落としてしまった」と反省し、2013年以降の3年間については「十分な成果は得られなかったというのが私の自己評価」と述べ、自身の責任を認めています。有事において何よりも経営者に問われるのは正直さと真摯さです。そういう意味で私はこのときのスピーチに感銘を受けましたし、豊田社長は優れたリーダーシップを発揮したと思います。

トヨタは自社の文化を「心理的安全性を創出する文化だ」とは定義していないと思いますが、トヨタには創業時から何十年にもわたって培ってきた学習文化があります。学び続ける文化はトヨタ生産方式をはじめ、すべての基本になっています。こうした文化があるからこそ、トヨタの従業員はどんな小さな問題でもためらうことなく報告することができるのです。カイゼンの本質は学習文化です。そして私にとって学習文化は「心理的安全性を創出する文化」とほぼ同じ意味を持ちます。

企業が良い業績を実現するには、「従業員の声を上げる勇気」と「心理的安全性が確保された職場」の両方が必要です。特にパンデミックのような危機が次々に起こりうるVUCAの時代においてはこの2つがますます重要になってくるでしょう。

自社独自の学習文化を見つめ直す

では企業が自社に心理的安全性を創出したいと思ったら、まず何をすべきでしょうか。トヨタの制度やシステムを参考にするべきか、それとも独自の文化をつくることを目指すべきか。

結論から言えば、私はどの企業にも独自の学習文化があると考えています。トヨタ生産方式は広く認知され、多くの企業に導入されてきましたが、その基本となっているのが、トヨタ独自の学習文化です。「かんばん」や「アンドン」など、目に見える仕組みをそのまま導入するだけでは、トヨタ生産方式を実現することはできません。

トヨタのマネジメントは、従業員の誰もが会社を変えることができ、チームや会社全体に貢献する能力があることを深く理解していて、従業員もまたそれが自分たちの役割だと理解しています。こうした企業文化は文章化できないものであり、他の企業が簡単に真似できるものでもありません。

他の企業にも、その企業なりの学習文化が社内にあるはずですから、まずはそれを生かしていくことです。たとえばピクサー・アニメーション・スタジオには、創造的な映画をつくるためのプロセスがあり、それに適した学習能力があります。それは高品質な自動車をつくるのとは別の能力です。

心理的安全性の創出に重要な役割を果たす中間管理職

先ほど有事のリーダーシップには透明性や謙虚さが求められると述べましたが、これは政治家だけではなく、企業のリーダーにもあてはまることです。現在のような苦境においては、時として経営者や管理職が部下に報酬の削減や一時解雇などを通達する必要も生じます。これはつらいことですが、だからといって回りくどい伝え方をしても意味がありません。

「今日はあなたにとってとても悪いニュースをお伝えしなければなりません。お伝えするのは私にとってもつらいことですが、これが決定事項です」

このように相手に敬意をもって迅速に伝えることです。

悪いニュースを伝えるときは、結論から述べることが大切です。その上で場合によっては、「この状況をどう乗り切るのが良いか、一緒に考えてもらえませんか」といった感じで素直に部下に協力を仰ぐことです。誰よりも早くチームメンバーに悪い知らせを伝えるのは、メンバー一人ひとりを尊重している証でもあります。これこそが心理的安全性の創出につながるのです。

心理的安全性のあるチームをつくる上で重要な役割を果たすのが中間管理職です。部下をもつリーダーである中間管理職は、健全な職場環境をつくるという大きな責任を担っています。真実を伝える、部下に助けをお願いする、部下に質問する、部下に自分のアイデアを相談する、意見を歓迎するような雰囲気をつくる、生産性をもって議論できるような環境をつくる、といったことは、中間管理職の責務でもあるのです。

権力の側面から見ても、中間管理職には大きな力があります。一人のリーダーが自らのチームで心理的安全性を創出し、生産性の高いチームをつくりあげたら、その取り組みが周りへと広がり、会社全体を変えることができるのです。

ですから、自分が変えられないことについて悩んでいる時間はありません。たとえば、「自社のここがだめだ」とか「うちの会社の経営者のここがだめだ」とか「あの部署のこういうところがだめだ」とか、文句を言っているひまはないのです。

置かれた場所でリーダーシップをとり、精一杯やれることをやることです。中間管理職であるあなたはチームメンバーの人生をより良い方向に変えられる重要な立場にいるのです。

恐れに満ちた職場が悲惨な結果をもたらす

ではあなたが上司ではない場合、職場に心理的安全性をつくるために何ができるでしょうか。『恐れのない組織』では、患者を死なせてしまった看護師、飛行機を墜落させてしまった副操縦士など、部下が上司に「間違っている」と進言できず、悲惨な結果を招いた事例を紹介しました。

心理的安全性と勇気はコインの表裏のような関係だと思ってください。部下にとって、問題やミスを上司に報告するのは極めて難しいことです。特にそれが問題だとは確信が持てないようなケースは難しいのです。だからこそ勇気がいるのです。

上司が部下の意見を聞かないような状況にあっても、危機的な状況だと判断すれば、とにかく声を上げてください。それがチームのためであり、患者のためであり、顧客のためなのです。直属の上司には歓迎されなくとも、結果的に経営者や組織全体には歓迎される。そのように考えるべきです。

そして声を上げるときは、何が危機的なのかを必ず伝えてください。看護師であれば

「この投薬ミスは患者の命にかかわります」とか、工場で働いている人であれば「この品質不良は顧客にこういう被害をもたらします」などと伝えることです。

自分の仕事のパーパス（存在意義）は何だろうか。この質問を常に自分に問いかけてほしいと思います。

「賢く働く」ことがコロナ後のスタンダードとなる

パンデミックが世界経済に打撃を与えていることは間違いありません。多くの企業が経済活動の抑制や一時休止を余儀なくされました。特に影響を与えているのが、感染抑制のためのロックダウンや行動制限です。

運輸・交通、旅行・宿泊業界はもちろんのこと、リモートワークの浸透でオフィススペースの削減が進み、不動産業界も打撃をうけました。さらにオフィス街のレストラン、ショップ、カフェ、駐車場などの売上も激減しました。

これらのビジネスに携わる従業員は、解雇、一時解雇、報酬カットなどの憂き目にあいました。収入が減ってしまった人たち、先行きがみえなくなってしまった人たちは、消費を控えます。それが経済全体のさらなる落ち込みへとつながっています。

一方で、私は暗雲の中にも必ず光明があると信じています。パンデミック下で、私たち人間が思っていた以上に迅速に変革を起こせることがわかったのは一筋の希望の光でしょう。いま、世界中の組織や企業で大変革が起きています。この苦境をともに乗り切るためにはどうしたらよいかを考える中で、多くのイノベーションが生まれているのです。

さらには働き方の見直しが進んでいることも希望の光です。パンデミック前は、従業員が長時間働くことこそが企業の生産性向上につながると広く信じられてきました。長時間労働を良しとするような不健全な世界が続こうとしていたのです。もちろんアメリカではいまだに長時間労働が信奉されています。おそらく日本も同じではないでしょうか。しかしコロナ禍で今後の働き方を見直す中で、どのような働き方がベストなのかを真剣に考える機運が生まれてきました。

社員の労働時間と生産性の間に相関関係がないことはすでにわかっています。長く働いたからといって生産性が上がるわけではありません。これからは長く働くのではなく、賢く働くことです。もっと人間的な生活を送ることです。それがひいては生産性の向上につながるのです。

２０３０年の展望　世界の複雑性、不確実性がさらに強まる

ＶＵＣＡの時代にパンデミックが起こり、さらに世界は予測不能になったといえるでしょう。ですからここでは、２０３０年の世界が、どんな世界になっていてほしいか、私の願望をお伝えしたいと思います。

パンデミック後に、より平等で、より健康で、より調和のとれた世界が訪れることを願っています。アメリカではパンデミックを機に多くの格差が露呈しました。最も顕著なのは健康格差です。社会的弱者の健康と安全が十分に保障されていなかったことが明らかになったのです。今後は、世界中の人々がより健康的な生活を送れるような医療システム、社会保障システムに変えていかなければなりません。

これからも、私たちの経済や生活領域が脅かされるような出来事は起こると予測しています。

パンデミックが今回で終わりだとは思えません。新型コロナウイルスとの闘いについ

ては、当面、ワクチンの開発と変異株の出現との間で、いたちごっこが続くでしょうが、最終的にはワクチンが勝利することを願っています。

感染症に加えて、甚大な被害をもたらすと想定されているのが自然災害です。気候変動は今後、さらに深刻な問題となっていくでしょう。

しかしながら私たち人間にはこうした災害や疫病に対して賢く備える能力があります。このパンデミックで世界が多くを学び、将来起こりうる動乱に対しても、より効率的、創造的、協調的に対応できることを願いましょう。

このような激動の時代を牽引するビジネスリーダーが頭に留めておくべきキーワードは「謙遜の精神」(Humility)です。VUCAの時代のリーダーに必要なのは、何事にも謙虚な気持ちで取り組む姿勢です。

あなたがリーダーであれば、自分のスキル、功績、知識に自信を持つことは良いことです。なぜならあなたがいま、リーダー的な立場にあるのは、それらのおかげだからです。ただし、その自信は謙遜の精神に裏打ちされたものでなくてはなりません。特に先が見通せないことに対しては、わかったふりをするのではなく、わからないことを認める勇気が必要なのです。

今後、世界の複雑性や不確実性はますます増大していくことが予測されます。現代は、かつては何十年もかかったような技術変革が、数年、数か月の間に実現してしまう時代です。ＩＴ技術が進歩するにつれて、世界の人々はさらに緊密につながるようになり、一つの出来事やアイデアがあっという間に世界全体に広がっていくことでしょう。

これまでの功績に対して自信を持ってください。しかし、未来に対してはわかったふりをしないでください。あなたは万能ではありません。周りの人々の助けが必要なのです。自分が知らないことについては、他の人に素直に質問することです。そして周りの人たちからアイデアや専門知識を取り入れることです。日本のビジネスリーダーの皆さんが「謙遜の精神」を大切にし、ＶＵＣＡの時代にリーダーとしてさらに活躍することを願っています。

また日本が持続可能な社会の実現にむけて、さらに世界に貢献することを期待しています。

日本は地球上の限られた資源を効率的に使う国として、これまでも世界のロールモデルとなってきました。島国である日本には、生態系を守ろう、自然の資源をできるだけ効率的に使おう、無駄を省こうといった意識が強く根付いていると感じます。

私たちは地球という名の宇宙船を正しく導かなくてはなりません。地球の未来のためにも限られた資源を有効に使わなくてはならないのです。島国である日本が、長い歴史の中で培ってきた思想や感性を国外に伝えていけば、世界に大きな貢献ができると思います。

（2021年5月27日インタビュー）

第10章

「両利きの経営」が未来を切り拓く

©Kent Dayton

Michael L. Tushman

マイケル・タッシュマン

マイケル・タッシュマン Michael L. Tushman

ハーバード大学経営大学院名誉教授。専門は経営管理（組織行動)。同校エグゼクティブプログラムAMP（アドバンスト・マネジメント・プログラム）ファカルティ・チェアー。「イノベーションと組織効率性」「戦略的イノベーションと組織変革」などをテーマにリーダーシップの授業を多数教える。技術変革、リーダーシップ、組織適応の研究で世界的に知られ、現在、世界各国でコンサルティング、講演、マネジメント研修を行う。チャールズ・A・オライリーとの共著書に『両利きの経営――「二兎を追う」戦略が未来を切り拓く』（東洋経済新報社)、『競争優位のイノベーション』（ダイヤモンド社)。

日本で大反響を呼んだ『両利きの経営』

『両利きの経営――「二兎を追う」戦略が未来を切り拓く』が日本で大きな反響を呼んでいると聞き、驚くと同時に大変光栄に思います。

なぜ世界のどの国よりも日本で人気が出たのか。その正確な理由はわかりませんが、この本が数ある経営書の中でも、テクノロジーのイノベーションに重点を置いていることが日本企業のリーダーに共感されたのかもしれません。日本の多くの企業は技術主導型で、経営者や管理職は、技術をベースにイノベーションを創出したり、実践したりすることの重要性を深く理解しています。だからこそ「イノベーションのジレンマ」を解決し、「両利きの経営」を実践する必要性を強く感じているのだと思います。

「両利きの経営」（既存事業の深化と新規事業の探索を同時に行う経営手法）の本質は「今日を生き、未来のために備える」組織をつくることです。現在、世界はパンデミックの最中にありますが、この概念は有事においても平時においても普遍的な考え方です。

新型コロナウイルスの感染拡大は世界各国の経済に打撃を与えています。特定の企業や業種だけではなく、文字通り世界中のあらゆる産業が影響を受けています。この突発的な非連続性の変化は、アナログからデジタルへの移行、オイルショック、あるいは労働争議といったものとは一線を画すものです。

コロナ禍でどの企業も変革を迫られているのは間違いありません。そしてこのあと、どのような世界が訪れるかもわかりませんし、いま戦略をたてても未来に役立つかどうかもわかりません。不確実性の高い世界では、ただただ実験を繰り返すしかないのです。だからこそ「両利きの経営」の必要性が世界中で再認識されているのだと思います。

現在、多くの企業のリーダーは、次のような問題に直面しています。

「コロナ禍で優先して考えるべき課題、新たな戦略上の課題は何だろうか」
「これまでとは全く違った方法で課題を解決するにはどうしたらよいだろうか」
「本業をきっちり回しながら、他の企業よりも早く未来のビジネスの種をみつけるには、いま何をすべきだろうか」

パンデミックは世界的な外因性ショックですから、すべての企業、すべての産業が、次々と迫りくる問題に対処していかなければなりません。そうしなければ競争優位性を保てなくなります。パンデミック前の古い戦略は役に立たなくなりつつあります。この短期間で、顧客が求める製品やサービスが変わってきているからです。

「両利きの経営」の本質は学ぶことです。私たちは、イノベーションを創出するために、社内に迅速に実験できる新規事業部門を創設することを提唱していますが、その理由はこうした特区のような部門があれば、競合他社よりも早く実験して早く学ぶことができるからです。

日本は「両利きの経営」の成功例の宝庫

私は長らくハーバード大学経営大学院のＡＭＰ（経営者養成プログラム）で「両利きの経営」を教えてきました。この講座には日本企業のエグゼクティブが数多く参加してくれています。パンデミックの最中に開講された授業では、楽天のケースを企業文化の変革事例として教えましたし、ＮＥＣ、トヨタ自動車、三菱商事、ＡＧＣ（旧・旭硝子）のケースも、「両利きの経営」を実践している事例として取り上げました。これらの企業はいずれも独自の「イノベーションストリーム」（既存の組織能力をもとに新たな製品・サービスを生み出していく流れ）[*1]を策定した上で、新規事業探索のための部門や子会社を設立しています。中にはアメリカにイノベーション拠点を設けた会社もあります。

授業では、受講者一人ひとりが自社の戦略上の課題を発表し、それぞれが持ち寄った事例をもとに議論する機会も設けていますが、日本企業からの参加者は、具体的な実践事例をもってきてくれますから、AMPの授業に大きく貢献してくれています。

パンデミック下で行われた授業でも、日本企業の受講者はコロナ禍の中でいかに自社が「既存事業の深化」と「新規事業の探索」を推進したかを発表し、欧米企業等に所属する受講者に「両利きの経営」の実践例を教えてくれました。いまや日本は「両利きの経営」の事例の宝庫になっているのです。

非連続性の変化が訪れる時代に求められる自己刷新の力

いま、多くのビジネスリーダーが痛感しているのは学習することの重要性です。ここで学習できなければ、会社の存続が危ぶまれる事態になりかねないからです。「両利きの経営」はこうしたリーダーと組織に学習する機会を与えるものです。

企業は、パンデミックはもとより、自然災害、技術の破壊的イノベーション、規制の変更など、技術、環境、法律など様々な分野で「非連続性の変化」に直面します。問題はこれらの突発的な「非連続性の変化」に対して、企業のリーダーはどう対応すべきかです。新型コロナウイルスの感染拡大は世界中に影響をもたらしています。サプライチェーンは破壊され、社員はリモートで仕事をすることとなり、旅行や運輸などの業界では需要が激減しました。このような変化にあなたならどう対応するか。これこそが私たちの議論の核心となる問題です。

さらにAMPの授業にはもう1つ重要なテーマがあります。それは非連続性の変化の中で企業が存続するには、組織だけではなく、リーダー自身も自己刷新しなければならないことです。有事において必要とされるリーダーシップは平時のそれとは違います。これまでとは異なる方法で、部下を正しく導かなくてはならない。それには自分自身が変わる必要があります。

多くの受講者は、財務、会計、マクロ経済、戦略などの知識を身につけることを期待してAMPに参加します。しかし、受講してまもなく、この講座が自分自身をよりよく理解するためのものであることに気づくのです。このパンデミックにおいては特にそうです。

リモートワークが続く中、どうやったら一体感のある企業文化を醸成できるのか。ウェブ会議でしか会ったことがないチームメンバーをどのように動機づけし、一つの方向に導けばいいのか。あなたが変えなくてはならないのは、会社、部門、産業だけではなく、自分自身なのです。

過去にうまくいった方法は、パンデミックの最中にはうまくいかないかもしれません。世界が危機から脱し、通常の経済活動を行えるようになったとしても、また次の変化が待ち受けているでしょう。だからこそＡＭＰでは、自己刷新を重要テーマの一つとして設定しているのです。

「両利きの経営」実践のための３つのポイント

２０１６年に『両利きの経営』を出版して以降、読者やハーバード大学経営大学院のエグゼクティブ講座の受講者から、さまざまな質問が寄せられました。特に多かったのが企業文化と具体的な役割分担に関する質問です。

「『両利きの経営』を実践していく上で企業文化はどのような役割を果たすのか」「新規事業をコア事業へと統合させていく過程ではどのような部署が何をやればよいのか」――これらの質問に答えるべく、この5年間、共著者のチャールズ・オライリー教授と研究をすすめてきました。その結果をまとめたのが、2021年9月に出版した増補改訂版です。

同書はパンデミック前から書き始めたものですが、結果的にパンデミックで「両利きの経営」の重要性がさらに注目されるようになったと感じています。

加筆したのは主に次の3点です。

1つめが企業文化の役割です。既存のコア事業を行う部門と新規事業創出部門とでは、チームの雰囲気が異なっているケースが多々あります（注：一般的にコア事業部門は官僚主義で新しいことをやりたがらず、新規事業部門は進取の気風にあふれている傾向がある）。特に新規事業をコア事業へと統合していく際には、この文化の違いが問題となります。この相異なる2つの部門を同じ方向に導くには、どのようにすればよいのか。その手法について具体的に説明しています。

2つめが、新規事業の創出から拡大の過程における社内部署の役割分担です。新規事業がコア事業へと育っていくまでには、「着想（ideation）、育成（incubation）、規模の拡大（scaling）」という3つのフェーズがあります。それぞれの段階において、社内のどの部署が何をすればよいのかを事例をもとに解説しています。

3つめが、自社のアイデンティティーの構築です。コア事業と新規事業を同時に推進するには、「自社は何を実現するために存在している会社なのか」を明確にしなければなりません。そうしないとコア事業へと育成できないような的はずれな事業に投資してしまうことになりかねないからです。

成功のカギを握るのは中間管理職の意識改革

これら3つの点についてもう少し詳しく説明しましょう。

まず1つめの企業文化について。AMPではまさにそれをテーマに議論しています。2020年の授業で使用したのは、デロイトコンサルティングの新規事業に着目した教材です。

デロイトコンサルティングは、クラウドソーシング（不特定多数の人々に業務委託すること）を活用した新たなコンサルティング手法を取り入れようとしていました。そこで2014年、「ピクセル」というプラットフォームをたちあげ、全社に浸透させようとしました。つまり、非連続性の変化が従来のコンサルティング部門にもたらされたのです。

ところが「ピクセル」を使う人は思うように増えていきませんでした。なぜなら「クラウドソーシングによって外部の人材が登用されれば、自分の地位が脅かされる」と思った人や、「現状、うまくいっているのだから新しいことにあえて挑戦する必要などない」と考えた人がたくさんいたからです。[*2] そこで、同社の「ピクセル」部門の経営層は、自ら社員向けの説明会を開催し、「ピクセル」を活用したプロジェクトに協力してくれるメンバーを広く募ることにしました。

新たなビジネスを全社に統合していく際には、経営層がトップダウンで変化のプロセスを主導し、中間管理職を巻き込んでいく必要があります。

中間管理職が「これは良い」と思えば、別の中間管理職の同僚へと広がっていき、さらにそこから別の中間管理職へと広がっていく。そして最終的には全員が新しい手法を取り入れたいと思うようになります。いったん弾みがつけば、あとは組織全体へと浸透していきます。それが全社的なムーブメントとなり、新しいことに挑戦することを良しとするような企業文化が醸成されるのです。

このように新規事業を既存の組織に統合していく際には、組織の中にムーブメントをおこす必要が生じます。

その過程で重要な役割を果たすのが中間管理職です。中間管理職は、経営者と部下の両方に影響を及ぼせる立場にあります。この層の協力が得られなければ、彼らは逆に抵抗勢力となり、イノベーションを阻害するほうにまわってしまうでしょう。なぜなら彼らは既存のビジネスや手法で成功して、管理職になった人たちであり、その前提が変えられてしまえば、「自分が評価されなくなる」と思うからです。

新規事業をコア事業に育てるための3ステップ

2つめの新規事業がコア事業へと育っていくまでの3つのフェーズ、「着想、育成、規模の拡大」に話を移しましょう。

「着想」は、新規事業開発部門や研究所などが、自社のビジョンやパーパス（存在目的）をもとに「ハンティングゾーン」（新規事業が狙う領域）を設定し、その中で有望なビジネスを選定していくフェーズです。「着想」において重要なのは、担当者が指針を見失わないよう、経営者が自社のパーパスを明確に伝えることです。

「育成」は実際にビジネスの種をまき、多くの実証実験を行い、顧客からの反応を確かめるフェーズです。

「規模の拡大」は、育成したアイデアを既存の組織の中に拡大していくフェーズです。たとえば広告会社でいえばオンライン広告事業、新聞社であればオンラインニュース事業、自動車会社であれば電気自動車事業などを、既存の組織の中に統合していきます。

「着想」「育成」を専門部署が担当することが多いのは、既存の組織とは別の基準で業績評価、チーム編成、報酬制度設計などを行わなければならないからです。特に育成過程では、数多くの失敗を経験します。この過程での失敗が減点となるような組織では、新規ビジネスの種を広範囲にまくことができません。

多くの企業が新規事業の「着想」までは実践できていると思います。ところが、「育成」と「規模の拡大」の両方に成功した企業はまだまだ少ないのです。課題は、これらの新たなビジネスをいかに既存の組織に統合し、コア事業に育てていくかでしょう。

コア事業へと統合していくときには、「断続平衡説」（進化は漸進的な変化ではなく、比較的短期間におこる突発的な変化によってもたらされること）でいうところの突発的な変化がもたらされます。この変化には、既存の手法の延長上では対応できません。コンサルティング会社であれ、新聞社であれ、自動車メーカーであれ、新規事業が統合される際には、古いビジネスとは異なるやり方を導入しなくてはならなくなります。

ハーバード大学経営大学院の事例でいえば、オンライン授業を「着想」し、「育成」してきたのは主にエグゼクティブ講座部門です。パンデミック前からエグゼクティブ講座ではオンライン授業を導入し、様々な実証実験を重ねてきました。そこにパンデミックが起き、オンライン授業がＭＢＡプログラムを含む全プログラムに導入されることになりました。いま私たち自身がまさに拡大フェーズの中にあります。

自らのアイデンティティーを定義せよ

３つめに挙げたアイデンティティーの構築がなぜ必要なのか。

新型コロナウイルスの感染拡大はすべての産業に影響を与えています。パンデミック下で明らかになったのは、コア事業ばかりに注力している企業には未来がない、という現実です。既存事業の深化、既存の社内手順の改善、既存の製品の改善ばかりを繰り返している企業に、未来はありません。未来を切り開くには、多くの実証実験を重ね、新規事業を創出するしかありません。

「両利きの経営」において、経営者は「深化」と「探索」という相矛盾する戦略を実践しなくてはなりませんが、その2つを同時に行うには自社のアイデンティティーを明確にすることが大切なのです。

富士フイルムの事例であれば、富士フイルムは自らを「写真フィルム」のみを製造する会社に限定していません。「ヘルスケア」「マテリアルズ」「イメージング」の3つの領域において社会課題の解決に向けた挑戦を続ける会社だと定義しています。これらは、写真フィルムよりもずっと広い概念であり、このアイデンティティーが富士フイルムの新規事業探索の基本となってきました。

ＡＧＣも同じです。「ガラス」のみを製造する会社ではなく、素材とソリューションを提供する会社であり、「ガラス」「電子」「化学品」「セラミックス」の事業領域で新たな価値創造に挑戦する会社だと定義しています。

このようなアイデンティティーの明確化は、社員を正しく導くためにも重要な指針となります。両利きの経営を成功させるには社員、特に中間管理職に「経営者はコア事業の深化と新規事業の創出の両方を推進しようとしているのだから、自分たちも両方に挑戦してよいのだ」と思ってもらうことが必須だからです。

2030年の展望　非連続性の変化が次々に訪れる

経営者や経営チームが相当なエネルギーを持って抵抗勢力に立ち向かい、自らリスクをとって新規事業に投資していかない限り、「両利きの経営」を実現することはできません。つまり、「両利き」に絶対的に欠かせないのは、経営者の情熱なのです。

もしあなたが中間管理職で、経営者が口では「両利きの経営」をやっているといいながらも、実際の行動が伴っていなければ、そのリスクを自ら経営者に伝える必要があります。逆にミドルアップで役員を動かすのです。その際には有望なプロジェクトを具体的に提案し、「こんな素晴らしい新規事業があるのですが、経営チームの支援がなければ、抵抗勢力につぶされてしまいます」と進言することです。

　パンデミックが簡単に終息するとは思えません。新型コロナウイルスの感染拡大が続く中、私たちは非連続性の変化に対応しながら、企業も自分も刷新し、この時代を生き抜いていかなくてはなりません。

「両利きの経営」の本質は、どのような変化に直面しても、そこから学び、前に進んでいくことです。個人もチームも企業も変化から学習することです。これは普遍的な教訓であり、2030年になっても変わらず重要なことです。

　あらゆるリーダーにとって不可欠なのは、変化に対応できる組織やシステムを構築することです。いま世界の至るところでイノベーションが生まれています。社内だけではなく、社外で起きたイノベーションもとりこめるようなエコシステムを構築することが必須となるでしょう。「今日を生き、未来のために備える」両利きの経営は、今後も引き続きビジネスリーダーの指針となっていくと思います。

（2021年7月12日インタビュー）

あとがき

8月末に新学期がスタートしたばかりのハーバード大学経営大学院では、引き続き対面とオンラインを併用するハイブリッド授業が行われています。同大学院は、この秋からすべての授業を対面で実施する予定でしたが、感染者数の増加にともない、再びハイブリッド形式に戻さざるをえなくなりました。新型コロナウイルスの感染拡大の影響で入学を延期したり休学したりする学生が相次いだことから、学校としては一刻も早く対面授業を復活させたいところでしょうが、なかなか思うようにはいかず、試行錯誤が続いているようです。企業と同じように大学もまた「ステークホルダーの健康と安全」と「経済利益」との狭間で難しい舵取りを迫られています。

新学期のカリキュラムそのものは大きく変更されていませんが、授業の内容はパンデミックの影響を多分に受けています。新しい教材が次々に採用され、「危機下のリーダーシップ」や「企業の存在意義」などについて議論する機会が増えてきています。

必修授業ではすでに、東北・北陸新幹線などの清掃を請け負うJR東日本テクノハートTESSEIの再生物語、トヨタ自動車のケンタッキー工場のオペレーション、そして本書でも紹介した米テキサス州のワクチン接種センターの事例が教えられたそうですが、いずれも学生から好評だったとのことです。清掃スタッフ、工場の従業員、そしてボランティアの人たちに焦点をあてた日本企業の事例は、学生に新鮮な驚きをもたらすとともに、現場で働く人たちの力を再認識するきっかけを与えているようです。

一方で、ハーバードではデータサイエンスやデジタル戦略をもっと学びたいという学生も増えてきており、今後は必修授業のカリキュラムでもデジタル系の科目が重視されていくことが想定されています。こうした新しい科目でいかにプレゼンスを確立できるかがこれからの日本にとっての課題であるのは間違いありません。コロナ禍のハーバードで『日本は日の沈む国なのか？』という教材が出版されたことからもわかるとおり、2030年までの期間は日本経済の方向性を決める重要な分水嶺となりそうです。

さて本書のインタビューは、ほぼすべてオンラインで行われましたが、教授陣がキャンパスでお目にかかったときよりもリラックスした雰囲気だったのが印象的でした。一つひとつの質問に対し、時間をかけて丁寧に答えてくださったのはもちろんのこと、インタビュー前後の雑談やメールからも日本への深い興味や愛情が伝わってきました。多くの教授が「これから日本企業に関わる新しい事例を授業でどんどん教えていくつもりだ」と力強く語ってくれたことも励みになりました。

筆者自身はインタビューを終えるたびに前向きな気持ちになり、自分自身が刷新していくような感覚を覚えました。この気持ちを読者の皆様と共有することができたなら嬉しく思います。この本が皆様にとって日本という国の価値、自分自身の価値を再発見する一冊となれば幸いです。

本書の取材に協力してくださった、左記のハーバード大学経営大学院、ハーバード大学ケネディ行政大学院の教授陣にはあらためて感謝の意をお伝えしたいと思います。

【ハーバード大学経営大学院（Harvard Business School）】
Ramon Casadesus-Masanell, Amy C. Edmondson, Rebecca M. Henderson, Linda A. Hill, Marco Iansiti, Geoffrey G. Jones, Willy C. Shih, Sandra J. Sucher, Michael L. Tushman（アルファベッ

ト順）

【ハーバード大学ケネディ行政大学院（Harvard Kennedy School)】

Ricardo Hausmann

またコロナ禍のハーバード大学経営大学院から最新情報を伝えてくださった日本人留学生の高塚景氏（Class of 2022）、山田寛久氏（Class of 2023）には心よりお礼を申し上げます。

最後に、本書の出版に際しては、新潮新書編集部および新潮社取締役の後藤裕二氏にご協力を賜りました。心より感謝申し上げます。

2021年10月

佐藤智恵

注

●第1章　マルコ・イアンシティ

＊1　Marco Iansiti, Karim R. Lakhani, Hannah Mayer and Kerry Herman, "Moderna (A)," HBS No. 621-032 (Boston: Harvard Business School Publishing, 2020).

＊2　「メッセンジャーRNAとは」日本経済新聞、2020年11月18日。
https://www.nikkei.com/article/DGKKZO66357090Y0A111C2EA2000/

＊3　John Bonifield, "Moderna's Covid-19 vaccine was designed in just two days," CNN, November 30, 2020.
https://edition.cnn.com/world/live-news/coronavirus-pandemic-11-30-20-intl/h_e33ae1918c88b1167f7f858cd728ae10

＊4　すべての企業活動の核としてAIを活用する企業。経験や勘よりも、AIの導き出すデータを重視して、未来予測、意思決定、企画立案などを行う。

＊5　ワクチン事業をすでに売却。ファイザー社のワクチン生産に協力する予定。

＊6　ハーバード大学経営大学院のクレイトン・クリステンセン教授（1952～2020）が提唱した理論。低価格、簡単操作、小型といった特徴を持つ新規参入製品が新たな顧客を獲得し、既存製品を駆逐してしまうことを「破壊的イノベーション」と名づけた。

＊7　Marco Iansiti and Karim R. Lakhani, *Competing in the Age of AI: Strategy and Leadership When Algorithms and Networks Run the World* (Boston: Harvard Business Review Press, 2020), p. 20.

●第2章　レベッカ・ヘンダーソン

＊1　シカゴ大学名誉教授（1912～2006）。1976年、ノーベル経済学賞受賞。

＊2　レベッカ・ヘンダーソン『資本主義の再構築　公正で持続可能な世界をどう実現するか』高遠裕子訳、日経BP（日本経済新聞出版）、2020年、30ページ。

＊3　同右、127～130ページ。

＊4　同右、121～126ページ。

＊5　Jorge Tamayo, Erik Snowberg and Jenyfeer Martinez Buitrago,“Toyota and Its Labor Union in Argentina (A),” HBS No. 721-394 (Boston: Harvard Business School Publishing, 2021).

＊6　Feeding America, “Facts about hunger in America.”
https://www.feedingamerica.org/hunger-in-america

●第3章　サンドラ・サッチャー

＊1　IOCの2013～2016年の総収入は57億ドル＝約6300億円。そのうち約7割が放映権料。
International Olympic Committee, Annual Report 2020, p. 147.
https://stillmed.olympics.com/media/Documents/International-Olympic-Committee/Annual-report/IOC-Annual-Report-2020.pdf

＊2　プリンストン高等研究所名誉教授。

＊3　「新型コロナウイルス感染症に関する菅内閣総理大臣記者会見」内閣官房内閣広報室、2021年7月8日。
https://www.kantei.go.jp/jp/99_suga/statement/2021/0708kaiken.html

＊4　Sandra J. Sucher and Shalene Gupta, *The Power of Trust: How Companies Build It, Lose It, Regain It* (New York: PublicAffairs, 2021).

＊5　David Shepardson, "U.S. safety agency probes 10 Tesla crash deaths since 2016," Reuters News, June 18, 2021. https://www.reuters.com/business/autos-transportation/us-safety-agency-says-it-has-opened-probes-into-10-tesla-crash-deaths-since-2016-2021-06-17/

＊6　Stephen M. R. Covey and Douglas R. Conant, "The Connection Between Employee Trust and Financial Performance," *Harvard Business Review*, July 18, 2016.
https://hbr.org/2016/07/the-connection-between-employee-trust-and-financial-performance

＊7　Kurt T. Dirks, "Trust in Leadership and Team Performance: Evidence from NCAA Basketball," *Journal of Applied Psychology* 85(6) (2000):1004-1012.

＊8　Tony Simons, "The High Cost of Lost Trust," *Harvard Business Review*, September 2002.
https://hbr.org/2002/09/the-high-cost-of-lost-trust

＊9　Microsoft, "Work Trend Index: 2021 Annual Report," March 22, 2021.
https://ms-worklab.azureedge.net/files/reports/hybridWork/pdf/WTIVisualGuide.pdf

●第4章　ジェフリー・ジョーンズ

＊1　The US SIF Foundation, *Report on US Sustainable and Impact Investing Trends 2020* (Washington DC: The US SIF Foundation, 2020), p. 1.

＊2　Geoffrey Jones, Gabriel Ellsworth and Ryo Takahashi, "From Farm Boy to Financier: Eiichi Shibusawa and the Creation of Modern Japan," HBS No. 321-043 (Boston: Harvard Business School Publishing, 2020).

＊3　株主は委託者（プリンシパル）、経営者は代理人（エージェント）であり、経営者は株主から企業経営を委託されていると考える理論。企業の経営者は株主のエージェントとして、企業価値や株主価値の最大化のために行動すると想定する。

＊4　Geoffrey Jones, *Profits and Sustainability: A History of Green Entrepreneurship* (New York: Oxford University Press, 2017), p. 47.

＊5　World Bank Group, *State and Trends of Carbon Pricing 2020* (Washington DC: World Bank Group, 2020), p. 12.
https://openknowledge.worldbank.org/bitstream/handle/10986/33809/9781464815867.pdf

＊6　International Monetary Fund, *World Economic Outlook, April 2021* (Washington DC: International Monetary Fund, 2021).
https://www.imf.org/en/Publications/WEO/Issues/2021/03/23/world-economic-outlook-april-2021

＊7　中国の習近平国家主席は２０２０年12月３日、中国共産党最高指導部の会議で、２０２０年中に貧困人口をなくすとする政権の目標、「脱貧困」を達成したと宣言。中国の基準で１億人近くいた貧困層を解消させたとしているが、この基準については国内外で異論が出ている。

●第５章　リカルド・アウスマン

＊1　Michele Coscia, Frank M. H. Neffke and Ricardo Hausmann, “Knowledge Diffusion in the Network of International Business Travel,” *Nature Human Behaviour* 4 (2020): 1011-1020.
The Growth Lab, “What Would Happen if Business Travel Stopped?,” Center for International Development at Harvard University.
https://growthlab.cid.harvard.edu/academic-research/business-travel

＊2　Matthew Haag, “To Reach a Single A.T.M., a Line of Unemployed Stretches a Block,” *New York Times*, June 5, 2020.
https://www.nytimes.com/2020/06/05/nyregion/keybank-nyc-coronavirus.html

＊3　ウルグアイの死者数の減少が見られたのは２０２１年６月９日、感染者数の減少が見られたのは６月10日。６月10日時点での１回以上接種率は60％、接種完了率は32％。

＊4　James Gallagher, “Covid: Is there a limit to how much worse variants can get?,” BBC News, June 12, 2021.
https://www.bbc.com/news/health-57431420

＊5　集団免疫率（%）=（1 − 1/R_0）×100

＊6　International Monetary Fund, *World Economic Outlook, April 2021* (Washington DC: International Monetary Fund, 2021), p. 11.
https://www.imf.org/en/Publications/WEO/Issues/2021/03/23/world-economic-outlook-april-2021

＊7　World Bank Group, *Global Economic Prospects, June 2021* (Washington DC: World Bank Group, 2021), p. 4.
https://openknowledge.worldbank.org/bitstream/handle/10986/35647/9781464816659.pdf

＊8　The Growth Lab at Harvard University, The Atlas of Economic Complexity, "JAPAN."
https://atlas.cid.harvard.edu/countries/114

＊9　経済複雑性指標（Economic Complexity Index）=国の輸出品目を分析することにより、その国にどれだけ生産的な知識（新しい解決や認識を生み出す知識）が蓄積されているかを測る指標。国の開発度合いや新たな成長分野を理解するためにも有効な指標。輸出品目の種類が多岐にわたり、複雑性が高い製品（その国にしかない高度で複雑な技術を要する品目）を多く輸出している国のＥＣＩは高くなる。日本は１９９５年より世界第１位。
The Growth Lab at Harvard University, The Atlas of Economic Complexity, "Country & Product Complexity Rankings."
https://atlas.cid.harvard.edu/rankings

＊10　Nokia Bell Labs, "Nokia Bell Labs History."
https://www.bell-labs.com/about/history/

●第６章　ウィリー・シー

＊1　Willy C. Shih, "Merck: COVID-19 Vaccines," HBS No. 621-028 (Boston: Harvard Business School Publishing, 2020).

＊2　Elie Dolgin, "The tangled history of mRNA vaccines," *Nature.com*, September 14, 2021.
https://www.nature.com/articles/d41586-021-02483-w

＊3　The U.S. Department of Health & Human Services, "COVID-19 Medical Countermeasure Portfolio."
https://www.medicalcountermeasures.gov/app/barda/coronavirus/COVID19.aspx?filter=vaccine

＊4　Willy Shih, "Fair Park Covid-19 Mass Vaccination Site (A)," HBS No. 622-003 (Boston: Harvard Business School Publishing, 2021).

＊5　Toyota Production System Support Center, "Harbor-UCLA Medical Center Video."
https://www.tssc.com/projects/nfp-ucla-vid.php

＊6　Toyota Production System Support Center, "St. Bernard Project Case Study."
https://www.tssc.com/projects/nfp-sbp.php

＊7　トヨタ自動車「基本理念」
https://global.toyota/jp/company/vision-and-philosophy/guiding-principles/

＊8　中国からアメリカ西海岸への40フィートコンテナ1つあたりの輸送費は、2021年9月、前年同期比5倍の2万ドルを突破した。
Freight Rate Index, "China/East Asia to North America West Coast," Freightos.com.
https://fbx.freightos.com/freight-index/FBX01

●第7章　ラモン・カザダスス=マサネル

＊1　Ramon Casadesus-Masanell and Akiko Kanno, "Oriental Land Co., Ltd.—Tokyo Disney Resort," HBS No. 720-460 (Boston: Harvard Business School Publishing, 2020).

＊2　シカゴ大学名誉教授（1910～2013）。

＊3　カリフォルニア大学バークレー校ハースビジネススクール名誉教授（1932～2020）。

＊4　たとえば部品メーカーは、特定の部品を量産するための金型を製作した後、納入先から「価格を下げなければ買わないぞ」と「ホールドアップ」を宣告され、逆に、発注したメーカーはその部品が重要で他に代替できないものであれば、「価格を上げなければ売らないぞ」と「ホールドアップ」を宣告される危機に直面すること。詳しくは左記参照。
柴山清彦「企業間連携：ルールの生成」『中小企業総合研究』第7号、日本政策金融公庫、2007年7月。
https://www.jfc.go.jp/n/findings/pdf/study200707_03.pdf

＊5　オリエンタルランド「2021年3月期　決算説明会」2021年4月28日、5ページ。
http://www.olc.co.jp/ja/news/news_olc/auto_20210428402995/pdfFile.pdf

●第8章　リンダ・ヒル

＊1　Linda A. Hill and Emily Tedards, "Akira Fukabori and Kevin Kajitani at avatarin (A)," HBS No. 421-089 (Boston: Harvard Business School Publishing, 2021).

＊2　Ranjay Gulati, Nitin Nohria and Franz Wohlgezogen, "Roaring Out of Recession," *Harvard Business Review*, March 2010.
https://hbr.org/2010/03/roaring-out-of-recession

＊3　直訳は「イノベーターのジレンマ」(The Innovator's Dilemma)。ハーバード大学経営大学院のクレイトン・クリステンセン教授の著書の邦題が「イノベーションのジレンマ」であるため、日本国内では「イノベーションのジレンマ」が通称として使われている。

＊4　ハーバード大学経営大学院教授（1952～2020）。

＊5　ハーバード大学経営大学院名誉教授。本書第10章にインタビュー掲載。

●第9章　エイミー・エドモンドソン

＊1　Kevin Breuninger, "Trump wants 'packed churches' and economy open again on Easter despite the deadly threat of coronavirus," CNBC News, March 24, 2020.
https://www.cnbc.com/2020/03/24/coronavirus-response-trump-wants-to-reopen-us-economy-by-easter.html

＊2　Amy C. Edmondson, *The Fearless Organization: Creating Psychological Safety in the Workplace for Learning, Innovation, and Growth* (Hoboken, NJ: John Wiley & Sons, 2018), p. xvi.

＊3　"Become Strong Together (Remarks by President Akio Toyoda at Financial Results for FY2020)," TOYOTA TIMES, May 12, 2020.
https://toyotatimes.jp/en/insidetoyota/074.html

●第10章　マイケル・タッシュマン

＊1　代表的な事例としては、機械式時計→クオーツ時計、真空管→トランジスタ、紙の新聞→オンラインニュースなどがある。詳しくは左記を参照。
チャールズ・A・オライリー、マイケル・L・タッシュマン『両利きの経営――「二兎を追う」戦略が未来を切り拓く』入山章栄監訳、渡部典子訳、東洋経済新報社、２０１９年、56～62ページ。

＊2　Michael L. Tushman, John Winsor and Kerry Herman, "Deloitte's Pixel (A): Consulting with Open Talent," HBS No. 420-003 (Boston: Harvard Business School Publishing, 2020), p. 8.

主要参考文献

【書籍】


ウォルツァー、マイケル『正しい戦争と不正な戦争』萩原能久監訳、風行社、2008年。

エドモンドソン、エイミー・C『恐れのない組織――「心理的安全性」が学習・イノベーション・成長をもたらす』野津智子訳、英治出版、2021年。

オライリー、チャールズ・A／マイケル・L・タッシュマン『両利きの経営――「二兎を追う」戦略が未来を切り拓く』入山章栄監訳、渡部典子訳、東洋経済新報社、2019年。

加藤雅則／チャールズ・A・オライリー／ウリケ・シェーデ『両利きの組織をつくる――大企業病を打破する「攻めと守りの経営」』英治出版、2020年。

カリアー、トーマス『ノーベル経済学賞の40年（上）（下）――20世紀経済思想史入門』小坂恵理訳、筑摩書房（筑摩選書）、2012年。

橘川武郎／パトリック・フリデンソン編著『グローバル資本主義の中の渋沢栄一――合本キャピタリズムとモラル』東洋経済新報社、2014年。

クリステンセン、クレイトン『イノベーションのジレンマ　増補改訂版』伊豆原弓訳、翔泳社、2001年。

佐藤智恵『ハーバードでいちばん人気の国・日本』PHP研究所（PHP新書）、2016年。

佐藤智恵『ハーバードはなぜ日本の「基本」を大事にするのか』日経BP（日経プレミアシリーズ）、2020年。

ヒル、リンダ・A／グレッグ・ブランドー／エミリー・トゥルーラブ／ケント・ラインバック『ハーバード流　逆転のリーダーシップ』黒輪篤嗣訳、日本経済新聞出版社、2015年。

ヘンダーソン、レベッカ『資本主義の再構築　公正で持続可能な世界をどう実現するか』高遠裕子訳、日経ＢＰ（日本経済新聞出版）、２０２０年。

Edmondson, Amy C. *The Fearless Organization: Creating Psychological Safety in the Workplace for Learning, Innovation, and Growth*. Hoboken, NJ: John Wiley & Sons, 2018.

Henderson, Rebecca. *Reimagining Capitalism in a World on Fire*. New York: PublicAffairs, 2020.

Iansiti, Marco, and Karim R. Lakhani. *Competing in the Age of AI: Strategy and Leadership When Algorithms and Networks Run the World*. Boston: Harvard Business Review Press, 2020.

Jones, Geoffrey. *Profits and Sustainability: A History of Green Entrepreneurship*. New York: Oxford University Press, 2017.

O'Reilly III, Charles A., and Michael L. Tushman. *Lead and Disrupt: How to Solve the Innovator's Dilemma*. Stanford, CA: Stanford University Press, 2016.

O'Reilly III, Charles A., and Michael L. Tushman. *Lead and Disrupt: How to Solve the Innovator's Dilemma*, Second Edition. Stanford, CA: Stanford University Press, 2021.

Pisano, Gary P., and Willy C. Shih. *Producing Prosperity: Why America Needs a Manufacturing Renaissance*. Boston: Harvard Business Review Press, 2012.

Sucher, Sandra J., and Shalene Gupta. *The Power of Trust: How Companies Build It, Lose It, Regain It*. New York: PublicAffairs, 2021.

【ケース】

Casadesus-Masanell, Ramon, and Akiko Kanno. "Oriental Land Co., Ltd.—Tokyo Disney Resort." HBS No. 720-460. Boston: Harvard Business School Publishing, 2020.

Hill, Linda A., and Emily Tedards. "Akira Fukabori and Kevin Kajitani at avatarin (A)." HBS No. 421-089. Boston: Harvard Business School Publishing, 2021.

Iansiti, Marco, Karim R. Lakhani, Hannah Mayer, and Kerry Herman. "Moderna (A)." HBS No. 621-032. Boston: Harvard Business School Publishing, 2020.

Jones, Geoffrey, Masako Egawa, and Mayuka Yamazaki. "Yataro Iwasaki: Founding Mitsubishi (A)." HBS No. 808-158. Boston: Harvard Business School Publishing, 2008.

Jones, Geoffrey, Gabriel Ellsworth, and Ryo Takahashi. "From Farm Boy to Financier: Eiichi Shibusawa and the Creation of Modern Japan." HBS No. 321-043. Boston: Harvard Business School Publishing, 2020.

Shih, Willy C. "Merck: COVID-19 Vaccines." HBS No. 621-028. Boston: Harvard Business School Publishing, 2020.

Shih, Willy. "Fair Park Covid-19 Mass Vaccination Site (A)." HBS No. 622-003. Boston: Harvard Business School Publishing, 2021.

Shih, Willy. "Fair Park Covid-19 Mass Vaccination Site (B)." HBS No. 622-004. Boston: Harvard Business School Publishing, 2021.

Sucher, Sandra J., and Shalene Gupta. "Globalizing Japan's Dream Machine: Recruit Holdings Co., Ltd." HBS No. 318-130. Boston: Harvard Business School Publishing, 2018.

Tamayo, Jorge, Erik Snowberg, and Jenyfeer Martinez Buitrago. "Toyota and Its Labor Union in Argentina (A)." HBS No.721-394. Boston: Harvard Business School Publishing, 2021.

Tushman, Michael L., John Winsor, and Kerry Herman. "Deloitte's Pixel (A): Consulting with Open Talent." HBS No. 420-003. Boston: Harvard Business School Publishing, 2020.

佐藤智恵　1970(昭和45)年兵庫県生まれ。
東京大学教養学部卒業。コロンビア大学
経営大学院修了(MBA)。NHK、ボスト
ンコンサルティンググループなどを経て、
2012年独立。著書多数。

Ⓢ新潮新書

931

コロナ後《ご》
ハーバード知日派《ちにちは》10人《にん》が語《かた》る未来《みらい》

編著者　佐藤智恵《さとうちえ》

2021年11月20日　発行

発行者　佐 藤 隆 信

発行所　株式会社 新潮社

〒162-8711　東京都新宿区矢来町71番地
編集部(03)3266-5430　読者係(03)3266-5111
https://www.shinchosha.co.jp
装幀　新潮社装幀室
組版　新潮社デジタル編集支援室

印刷所　錦明印刷株式会社

製本所　錦明印刷株式会社

ISBN978-4-10-610931-7 C0234

価格はカバーに表示してあります。